EL PEQUEÑO LIBRO
ROJO DEL GOLF

EL PEQUEÑO LIBRO ROJO DEL GOLF

Lecciones y experiencias de toda una vida dedicada al Golf

HARVEY PENICK Y BUD SHRAKE

TUTOR

Editor: Jesús Domingo
Coordinación Editorial: Paloma González
Diseño de cubierta: Artigenia

Primera edición: octubre 1994
Segunda edición: marzo 1995
Tercera edición: octubre 1995
Cuarta edición: marzo 1996
Quinta edición: diciembre 1996
Sexta edición: diciembre 1997
Séptima edición: noviembre 1998

Título original: *Little Red Golf Book*
Publicado por Simon & Schuster, New York

© 1992 *by* Harvey Penick and Bud Shrake
and Helen Penick

© 1994 de la versión española
realizada por Daniel Asís,
by EDICIONES TUTOR, S. A.
Andrés Mellado, 9-1.º D. 28015 Madrid
Tel: 91 543 21 72 Fax: 91 549 96 53

ISBN: 84-7902-185-3
Depósito legal: M. 38.700-1998
Impreso en Gráficas Huertas, S. A.
Impreso en España - Printed in Spain

Este libro no ha sido escrito únicamente para ayudar a todos los golfistas a mejorar su juego, sino también para ayudar en su enseñanza a los profesionales y maestros de los clubes.

HARVEY PENICK
Austin Country Club,
Austin, Texas,
1992

Sumario

Introducciones

por Tom Kite

Tal vez no se dé usted cuenta, pero está a punto de comenzar a leer uno de los libros más importantes que se hayan escrito nunca sobre la enseñanza del golf, si no el más importante. Esta afirmación puede sorprenderle si nunca ha tenido la oportunidad de recibir una lección de Harvey Penick, pero pronto descubrirá cuánto disfruta con las lecciones de este libro, al tiempo que aprende algo con lo que mejorar su juego.

Éste es el efecto que "el hijo del Sr. Penick", como algunos conocíamos a Harvey, ha producido en sus alumnos a lo largo de muchas décadas. Su presencia resulta tan cómoda como un viejo par de pantalones vaqueros; es tan poco pretencioso como un niño y, sobre todo, es uno de los hombres más listos que he tenido ocasión de conocer. No listo por haber leído muchos libros, sino por su conocimiento de las personas. La gente se siente encantada cuando está cerca de él. Algunos de mis recuerdos favoritos son los días lluviosos de invierno, cuando nadie podía salir a jugar al golf y nos reuníamos alrededor de Harvey para escucharle e intentar penetrar en su mente.

Harvey ha dicho muchas veces que una de las cosas

que le han ayudado a ser un buen profesor es que, probablemente, ha visto dar bolas a más alumnos que nadie. Muchos son los profesores que han pasado innumerables horas en el campo de prácticas con sus alumnos, pero pocos han conseguido de ellos los resultados con los que demostrarlo. Los alumnos de Harvey siempre aprenden, y al mismo tiempo Harvey aprende como profesor. A estas alturas de su carrera todavía dice que cada día aprende algo nuevo sobre el golf. Contraste usted esto con la actitud de cualquiera de los metódicos profesores de hoy en día que afirman que sólo hay una manera de mover el palo. Harvey, por el contrario, deja que el *swing* se amolde a la personalidad del alumno. Sólo así se explica el tremendo número de campeones que han trabajado con él, mientras la mayor parte de los profesores se consideran afortunados si llegan a entrenar, por lo menos, a un buen jugador. Han sido tantos los profesionales que han venido a Austin a recibir clase que si hiciéramos una lista podríamos omitir a alguno. Pero Mickey Wright, Betsy Rawls, Sandra Palmer, Judy Kimball, Kathy Whitworth, Terry Dill, y Dom y Rik Massengale fueron de los que más veces hicieron el viaje. Nada menos que Bob Toski[1] comentó una vez que sólo Harvey Penick podía haber ayudado a desarrollarse a dos jugadores con personalidades y habilidades atléticas tan diferentes como Ben Crenshaw y yo, sin perjudicar a uno mientras ayudaba al otro a alcanzar su plenitud.

Harvey no nos enseñó a todos lo mismo, ni tan siquiera de la misma manera. Nunca le he visto dar una clase colectiva. Al contrario, él ahuyentaba de sus clases a

---

[1] Uno de los profesores más célebres de América en los últimos veinte años. Es comentarista de golf en la cadena de deportes CNN y coautor, junto a Jim Flick, del célebre libro *How to become a complete golfer.* *(N. del T.)*

cualquier espectador por temor a que escuchara algo que no se adaptara a su juego. En los más de treinta años que he jugado al golf con Ben Crenshaw, nunca me han permitido verle durante una clase con Harvey, ni a él le han permitido verme a mí.

Harvey elige con tanto cuidado una respuesta que alguna vez le he visto dejar una pregunta sin responder hasta el día siguiente, por miedo a que esa respuesta fuera mal interpretada. Y, al final, expresaba sus respuestas siempre de forma positiva. Nunca decía: "No hagas esto", sino: "¿Por qué no probamos esto otro?"

Pero Harvey no es sólo un profesor para jugadores profesionales. Aún se le pone la piel de gallina cuando ve a alguno de sus alumnos principiantes hacer volar la bola por primera vez, o cuando enseña a un hándicap 21 a salir de un *bunker*. Durante muchos años yo habría apostado lo que fuera a que el Austin Country Club tenía más jugadores de hándicap bajo que ningún otro club del país; porque si un alumno disponía de tiempo, necesariamente tenía que mejorar con un profesor como Harvey.

Pero cuando todo ha sido dicho y hecho, cuando los golpes de salida ya no llegan tan lejos como solían, cuando los golpes con los hierros no son tan sólidos y precisos como lo fueron una vez, y los 29 "pats" por recorrido son ahora 33 ó 34, lo que todos hemos aprendido de Harvey es a amar; a amar un juego que nos enseña más sobre nosotros mismos que lo que a veces nos preocupamos por saber. Y a amar a la gente con la que compartimos este juego. Harvey no hace distinción entre ese principiante que va haciendo "chuletas" por el campo de golf o ese profesional del circuito con un *swing* suave como el terciopelo. Si una persona ama el golf, entonces Harvey hará lo que esté en su mano para

13

ayudarle a mejorar. Y pueden estar seguros de que el efecto en sus alumnos es tremendo porque, como una vez dijo Dick Coop, el célebre psicólogo deportivo de la Universidad de Carolina del Norte, "Harvey enseña mediante parábolas". Creo que también Harvey debe haber tenido un buen profesor.

por Ben Crenshaw

Un buen amigo mío del oeste de Texas resaltó, tras una larga conversación sobre Harvey Penick: "Parece ser el hombre más satisfecho que he conocido nunca." Pienso que aquélla fue una forma maravillosa de describirle. Mi amigo, un buen golfista que jugaba en la Universidad de Texas, se acuerda a menudo de Harvey y dice que su filosofía de enseñanza, así como su forma tan sencilla de entender la vida, le han ayudado a comprender con claridad cómo podemos aprovechar al máximo nuestras vidas. ¡Si supiéramos lo fácil que nos lo ha hecho Harvey...!

El golf, en cualquiera de sus formas, ha dado muchas satisfacciones a Harvey Penick; además del hecho de que, desde edad muy temprana, sabía bien cuál iba a ser el trabajo de su vida. Con frecuencia me he preguntado cómo sería aquella ocasión en la que Harvey conoció a Jack Burke, Sr., probablemente el primer jugador de golf que tuvo una influencia importante en el desarrollo de este juego en Texas, allá por los años veinte.

Harvey me ha contado varias veces cómo muchos aspirantes a profesores se reunían en casa de Burke. Él procedía de Filadelfia y sus teorías debían estar influidas

14

por los profesionales de la costa Este, procedentes de Escocia, cuya filosofía de la enseñanza se basaba en evitar transmitir disparates. Ése era también el estilo de enseñanza de Stewart Maiden, el inspirador en Atlanta del joven Bobby Jones[2]. Estoy seguro de que sus teorías producían una fascinación especial en Harvey. Las explicaciones de Maiden a sus alumnos eran sencillas y directas, evitando cualquier tecnicismo; y éste es también uno de los sellos de identidad de Harvey.

Harvey me ha dicho en varias ocasiones que el mejor libro de enseñanza de golf que existe es *Bobby Jones on Golf* (Bobby Jones, sobre el golf), porque contiene la genialidad del propio Jones y la de Maiden combinadas con enormes dosis de sentido común y con el precioso dominio que Jones tenía de la lengua inglesa.

Estos hombres, y tantos otros interesados en mejorar el golf, fueron importantes en la formación de Harvey Penick. Pero lo que separa a los grandes profesores de los que no lo son, no es tan sólo su conocimiento del juego, sino el arte esencial de la comunicación. Muy pocos profesores lo han dominado como Harvey, y creo que este arte requiere un don divino. Me consta que la mayor parte del tiempo que Harvey ha pasado dando clases de golf no pensaba en *qué* decir a un alumno, sino en *cómo* decirlo. Los mensajes de Harvey siempre nos llegaban en tonos tranquilos, pues él siempre supo lo frágiles que eran nuestras mentes cuando estábamos jugando mal. Su selección de palabras evitaba los tonos imperativos; por ejemplo, siempre inspeccionaba las manos de sus alumnos, buscando callosidades; si las encontraba, decía: "Vamos a intentar colocar así las manos

---

[2] Reconocido como el mejor jugador *amateur* de todos los tiempos (ver págs. 144-146) (*N. del T.*)

en el palo." La conclusión no era, por tanto, "agarrar" el palo, "girar" las manos o "envolver" la empuñadura con las manos. "Colocar" resultaba siempre una palabra más valiosa, porque implicaba una presión ligera en la empuñadura, y de esa forma resulta más fácil mover la cabeza del palo.

Harvey me recuerda en muchas cosas a Old Tom Morris. Old Tom era un golfista fabuloso de St. Andrews, en Escocia; un gran jugador que ganó el Open Británico cuatro veces. A Old Tom no se le conocía por su habilidad para enseñar, como se conoce a Harvey, sino por explicar su propia filosofía y la tradición del juego del golf de una manera que provocaba profundas emociones. Desde su posición como *Honorary Professional and Custodian of the Links at St. Andrews* había vivido muchos cambios en el juego, y este personaje encantador vivió una vida larga y próspera sabiendo que contribuía al disfrute de otros con el golf, independientemente del nivel de sus propios logros.

Old Tom era sabio. Trataba a todos los hombres por igual y hacía que todo resultara muy sencillo. Bastaba poco para hacerle feliz. Mientras tuviera a sus amigos a su alrededor y existiera el golf para jugar y hablar de él, estaba satisfecho. Muchas veces Old Tom decía: "Tengo a mi Dios y mi golf para ayudarme a salir de apuros."

Para la gente que se tome en serio su juego será una delicia leer sobre la vida de Harvey Penick y sobre cómo ayudaba a los demás. Las partes dedicadas al golf se entienden con facilidad por su estilo sencillo, del más puro sentido común. Quienes hemos tenido la fortuna de estar a su alrededor durante una temporada hemos sido influidos por un hombre de cortesía y generosidad inagotables; con una bondad más intensa que la que yo haya podido ver en ningún otro hombre. Nunca he oído que levantara la voz a nadie. Está lleno de verdadera sensibilidad hacia los demás. Harvey representa, por todos sus rasgos admirables, lo mejor que la vida y el golf pueden ofrecer.

por *Betsy Rawls* [3]

Harvey Penick fue mi profesor de golf durante treinta años, hasta que en 1975 me retiré de la competición. Para mí, Harvey redujo el golf y la vida a unos pocos principios sólidos, irrefutables y dignos de consideración, y expresó esos principios en términos simples, sencillos, realistas y, con frecuencia, divertidos. Siempre fue para mí un refugio en las complejidades y en los traumas emocionales del circuito profesional.

Al regresar de un torneo siempre acudí a ver a Harvey para volver a refrescarme, volver a inspirarme y ser capaz, una vez más, de poner las cosas en su perspectiva adecuada. Él siempre me hacía volver a los fundamentos técnicos sobre los que está construido un buen *swing*.

La fuerza de la personalidad de Harvey, su moral, su dedicación y su gran sabiduría me hicieron, de alguna manera, una persona más fuerte y sabia. Haber tenido a Harvey como profesor, mentor y amigo ha sido una de las grandes bendiciones de mi vida.

---

[3] Ganadora de 55 torneos profesionales en el Circuito femenino americano LPGA. *(N. del T.)*

17

por Mickey Wright [4]

He tenido el placer de pasar bastantes horas con Harvey Penick en el campo de prácticas del Austin Country Club, no sólo para que me corrigiera el *swing*, sino mirándole y escuchándole. Siempre me ha impresionado la simplicidad de su enseñanza. Él insistía en que hacer una buena empuñadura era el fundamento determinante en el *swing*. Intentaba impartir a sus alumnos la sensación del buen *swing* haciéndoles practicar con varios artefactos, como una guadaña, o una bola pesada atada a una cadena. A sus alumnos más difíciles los trataba como individuos y no intentaba acoplarles a un molde. Hacía mucho hincapié en el juego corto, como debe ser. Sus alumnos más sobresalientes, como Ben Crenshaw, Tom Kite o Kathy Witworth, siempre destacaron en esta parte del juego.

por Kathy Whitworth [5]

Harvey Penick no es sólo el modelo ideal de lo que debe ser un jugador profesional y un profesor de club, sino un individuo realmente único. Nunca le han interesado las recompensas económicas ni la popularidad que

---

[4] Ganadora de 82 torneos profesionales en el Circuito femenino americano LPGA. *(N. del T.)*
[5] Ganadora de 88 torneos profesionales en el Circuito femenino americano LPGA. *(N. del T.)*

pudiera haber adquirido. Yo ni tan siquiera recuerdo haberle pagado una clase después de mis primeras visitas. Una vez me dijo que su mayor recompensa era ayudar a la gente a conseguir mejorar su juego. Su conducta, su honestidad, su integridad en la vida diaria han tenido un impacto en mí tan grande, probablemente, como sus enseñanzas sobre el golf.

Intentar vivir a la altura de sus valores ha sido una aventura maravillosa; y lo será todavía más, desde el momento en que yo misma estoy intentando ahora ser profesora. Harvey ha influido en muchas vidas a lo largo de los años. Con este libro, y a través de la gente que ha tenido el privilegio de conocerle, continuará influyendo en muchas más. ¡Qué pensamiento más agradable!

por Mary Lena Faulk

Creo que Harvey Penick es la persona que ha ayudado a más gente a mejorar su *swing* de golf y a disfrutar al máximo de este juego. No hablo sólo de grandes jugadores como Betty Jameson, Betsy Rawls o Ben Crenshaw (por mencionar sólo a unos pocos), sino también a los aficionados de hándicap alto. Todos cuantos han dado una clase con Harvey han adquirido un conocimiento mayor de sus problemas, y han aprendido cómo resolverlos.

por Dave Marr [6]

El mundo del golf ha estado y está lleno de gente muy especial. Mi buena fortuna me ha permitido conocer a muchos de ellos, buenos y malos, a lo largo de los más de cuarenta años que he practicado este juego. Una de las personas más especiales que he tenido el placer de conocer ha sido Harvey Penick.

Nunca he encontrado a nadie más caballeroso ni que diera más de sí mismo en beneficio del golf y de su gente. Se le puede reconocer en la personalidad de aquellos en quienes ha influido a lo largo de todos estos años. Si es cierto que a un profesor se le juzga por sus alumnos y lo que éstos consiguen, entonces Harvey Penick se encuentra no sólo en lo alto del golf, sino del golf como forma de vida.

Adoro a Harvey Penick y todo lo que él ha defendido durante estos años.

por Byron Nelson [7]

Harvey Penick es uno de los grandes profesores de la historia del golf. Ha ayudado a mucha gente a mejorar su juego, incluido yo mismo y los cientos de estudiantes que le envié. Harvey es un caballero que se ha hecho amigo de la mayor parte de sus alumnos. Yo siempre le consideraré un buen amigo mío.

---

[6] Campeón en 1965 del PGA Championship, y célebre comentarista de golf en televisión. *(N. del T.)*
[7] Ganador de cinco torneos del Grand Slam. *(N. del T.)*

Mi Pequeño Libro Rojo

Hace más de sesenta años empecé a escribir notas y observaciones en lo que terminé llamando "mi Pequeño Libro Rojo". Hasta hace poco nunca se lo había dejado leer a nadie excepto a mi hijo Tinsley. Mi mujer, Helen, podía haberlo leído –por supuesto–, pero el pasar toda su vida junto a un ex-*caddie* como yo la ha provisto de toda la información sobre el golf que le podía interesar. Mi intención era traspasar mi Pequeño Libro Rojo a Tinsley, que ahora es el director de la escuela de golf del Austin Country Club. Le ofrecieron ese puesto en 1973, cuando yo me retiré con el cargo de *Head Professional Emeritus,* después de desarrollar durante cincuenta años ese mismo trabajo. Los conocimientos que contenía ese pequeño libro ayudarían a Tinsley a vivir bien de la enseñanza del golf.

Tinsley es un maravilloso profesor y a lo largo de los años ha ido añadiendo su punto de vista a este libro. Pero la única copia que existe de aquel cuaderno rojo en el que yo escribía es la que tengo guardada en mi maletín. La mayoría de los socios del club y de los jugadores que acudieron a mí en busca de ayuda oyeron hablar de mi Pequeño Libro Rojo. Poco a poco ha ido creciendo, pero todavía hoy resulta muy delgado teniendo en cuenta que sus páginas contienen todas las verdades importantes que he aprendido sobre el golf. Muchos me pidieron leerlo pero yo no se lo enseñé; ni a Tommy Kite, ni a

Ben Crenshaw o Betsy Rawls, Kathy Whitworth, Betty Jameson, Sandra Palmer, ni a ninguno de los otros por mucho que les quisiera.

Lo que hacía especial a mi Pequeño Libro Rojo no era que lo que estaba escrito en él no se hubiera dicho nunca, sino cómo ha soportado el paso del tiempo lo que decía sobre jugar al golf. En otros sitios he visto cosas escritas sobre el *swing* de golf que no me puedo creer que funcionen, excepto accidentalmente. Pero todo lo que digo en mi libro ha sido probado con éxito, tanto en principiantes como en jugadores de nivel medio; en expertos y en niños.

Un viejo profesor me dijo una vez que la originalidad no consiste en decir lo que nunca se ha dicho antes, sino en decir lo que uno cree que tiene que decir porque sabe que es la verdad.

Por eso, finalmente, me decidí a darlo a conocer.

La decisión llegó durante una mañana de la primavera pasada. Mi enfermera y yo estábamos sentados en mi cochecito de golf bajo los árboles, cerca de la terraza del Austin Country Club. Ella –que se llama Penny– es una joven muy paciente que, en los días en que me siento suficientemente bien para hacer el viaje, conduce el cochecito las pocas manzanas que separan mi casa del club. Nunca me quedo más de una o dos horas en cada visita, ni tampoco voy más de tres o cuatro veces por semana, porque no quiero que los socios me vean como un fantasma que se resiste a desaparecer.

Tampoco interfiero en el tiempo de clase de ninguno de nuestros buenos profesores. Aquella mañana pude ver a Jackson Bradley dando una clase en el campo de prácticas, y aunque hay momentos en los que me gustaría hacer una sugerencia, no la hago. Sin embargo no puedo negar mi ayuda a mi viejo amigo Tommy Kite, líder en ganancias en toda la historia del golf, cada vez que se acerca a mi cochecito y me pide que le vea "patear" un rato. Me lo pide casi con timidez, como si tuviera miedo de que yo no me sintiera con fuerzas suficientes. Pero la verdad es que me llena el corazón de alegría. He pasado muchas noches mirando al techo y pensando en lo que acababa de ver hacer a Tommy en un torneo, por televisión, y rezando para que viniera a pedirme ayuda. Si él quisiera, yo rompería incluso mi regla de no acudir nunca al club los fines de semana, aunque a Penny le exaspere que yo prefiera ver "patear" a Tommy a comerme el almuerzo que ella me obliga a tomar. Otras veces, cuando estoy sentado en mi cochecito a la sombra, disfrutando de la brisa primaveral y del verde ondulado de nuestro campo de golf, con el agua del Lake Austin salpicando ahí abajo –en el lugar más tranquilo y pacífico que haya conocido en la Tierra–, se presenta por allí la joven profesional Cindy Figg-Currier. Tras saludarme y reunir el valor suficiente, me pregunta si le puedo corregir su golpe de "pat". Yo, por supuesto, lo hago encantado. Me proporciona tanto placer ayudar a una joven profesional como Cindy, que empieza a mejorar, como al héroe famoso que ya es Tommy.

Don Massengale, del circuito senior, me había llamado a casa cierta noche para pedirme una lección de "pat" a larga distancia. Yo ya no puedo oír muy bien por teléfono. Así que Helen tuvo que hacer de "intérprete", gritándonos al uno y al otro, mientras yo intentaba corregir la empuñadura de Don.

Mi viejo amigo Ben Crenshaw, el campeón del Masters que aprendió junto a Tommy Kite en el grupo de niños a los que yo daba clase en el viejo Austin Country Club, al otro lado de la ciudad, pasó a visitarnos con su mujer y su hija. Ben es uno de los mejores jugadores de

todos los tiempos; un golfista nato. Cuando era pequeño, yo no le dejaba practicar demasiado por miedo a
que descubriera cómo hacer algo mal.

Ben tiene su propio campo, el Barton Creek Club, diseñado por él y un socio suyo, a sólo diez minutos, en
coche. Me satisface mucho cuando pasa por aquí para
sentarse a charlar en el sofá, o cuando me llama mientras participa en algún torneo.

Poco tiempo después de que Ben se marchara ese día
sonó de nuevo el timbre. Uno de los socios del club, Gil
Kuykendall, trajo consigo a Robin Olds –un general de
las fuerzas aéreas– y me preguntó si me importaría darle al general una lección allí mismo, en mi salón, desde
mi silla de ruedas. Iban a jugar juntos un torneo y el general sólo había jugado al golf unas pocas veces. ¿Le podría enseñar yo algo en media hora? El general Olds era
un tipo grueso de abajo arriba; una antigua estrella de
fútbol americano en West Point. Tenía esos grandes
músculos que, como decía Bobby Jones, pueden doblar
una barra de hierro pero no sirven de nada para hacer el
swing de golf. Sugerí al general que empleara una empuñadura "fuerte"[8] y le enseñé un *swing* muy corto, justo hasta la altura de la cintura, hacia atrás y hacia adelante. Este hombre estaba demasiado obsesionado con
los músculos como para hacer un *swing* entero, pero era
lo suficientemente fuerte como para desplazar la bola a
una distancia decente con un *swing* corto. Seguro que
no bajaría de 100 golpes en el torneo, pero por lo menos
podría moverse por el campo.

Cuando Kuykendall y Olds se marcharon, Helen y

---

[8] Terminología del golf para una forma de coger el palo con las manos giradas hacia la derecha. Una empuñadura "débil" sería aquella que se efec-
tuara con las manos giradas hacia la izquierda. *(N. del T.)*

Penny me reprendieron. Me dijeron que me estaba cansando mucho y me recordaron que, antes de que Ben pasara por aquí, también había venido a verme para comentarme sus progresos una chica que aspiraba a entrar en el equipo de la Universidad de Texas, y que yo le estuve haciendo preguntas durante una hora. Es verdad que me fui cansando a medida que avanzaba el día, pero mi mente estaba despierta. Mi corazón estaba emocionado porque había estado enseñando.

Nada me ha proporcionado tanto placer como enseñar. Disfruto tanto animando al alumno que viene por primera vez, o a aquella mujer de París que sólo aspiraba a hacer volar la bola para poder jugar con su marido al volver a Francia, como viendo mejorar su golf a todos los buenos jugadores a los que he tenido la suerte de conocer. Cuando uno de mis alumnos de menos talento conseguía dar un golpe de primera clase, sentía un escalofrío de placer al poder ayudarle; y le decía: "Espero que ese golpe te haya dado tanta satisfacción como me ha dado a mí."

Cada vez que descubría algo sobre el *swing*, o sobre la colocación, o sobre una actitud mental que funcionaba siempre bien, lo escribía en mi Pequeño Libro Rojo. Yo prefiero enseñar con imágenes, parábolas y metáforas; plantar en la mente del alumno pequeñas semillas sobre cómo ejecutar golpes de golf. Estas imágenes también iban a parar al cuaderno si demostraban tener éxito. De vez en cuando añadía impresiones de campeones a los que había conocido, desde Walter Hagen y Bobby Jones a Ben Hogan, Byron Nelson y Sam Snead, Jack Nicklaus, Arnold Palmer, Kite o Crenshaw, así como Rawls, Whitworth, Jameson, Mickey Wright, Sandra Palmer y muchos otros distinguidos jugadores.

Muchos escritores me preguntaron a lo largo de mi

carrera si podían escribir un libro sobre mí y sobre mis lecciones de golf, pero siempre decliné amablemente la sugerencia. Por un lado, nunca me he considerado ninguna especie de genio. Fui un estudiante humilde y un sencillo profesor de golf. No aprendí con objeto de promocionarme ante el público. Tampoco me interesó el dinero. Lo que aprendí fue para compartirlo con mis alumnos. Y a largo plazo esos conocimientos pertenecerían a mis hijos, Tinsley y Kathryn.

Pero en aquella suave mañana de primavera que mencioné antes, mientras las ardillas jugueteaban en la hierba alrededor de las ruedas de mi cochecito y un brillante pájaro negro merodeaba en las ramas por encima de mí, me pregunté a mí mismo si no estaba siendo egoísta. Tal vez no estuviera bien atesorar los conocimientos que había acumulado. Tal vez se me habían proporcionado estos ochenta y siete años de vida y esta maravillosa carrera para transmitir a todos lo que yo había aprendido. Tal vez este regalo no me había sido concedido para mantenerlo en secreto.

Precisamente, por aquellos días vino a verme Bud Shrake, un escritor que vive en las colinas cerca del club. Durante unos minutos charlamos sobre su hermano Bruce, que fue uno de mis jugadores durante los treinta y tres años en que entrené al equipo de golf de la Universidad de Texas. Fue entonces cuando el tema explotó dentro de mí.

—Quiero enseñarte algo que nadie, excepto Tinsley, ha visto antes –le dije. Abrí mi maletín, le dejé mi Pequeño Libro Rojo y le pregunté si él podría ayudarme a darle forma para publicarlo.

Bud se levantó, se acercó a la tienda del club y trajo a Tinsley hasta el coche. Entonces le pregunté a Tinsley qué pensaba sobre si debíamos compartir nuestro libro con un público más extenso que nosotros dos. Tinsley dibujó una enorme sonrisa.

—He pasado años esperando y deseando que algún día me dijeras eso –dijo.

Así que aquella mañana, bajo los árboles, abrimos mi Pequeño Libro Rojo.

Medicina de golf

Cuando yo le diga que se tome una aspirina, no se tome todo el bote, por favor. Las dosis pequeñas pueden ser a veces más efectivas que abusar del remedio. En el *swing* de golf, un cambio pequeño puede producir una diferencia enorme.

Tenga cuidado con la inclinación natural a acentuar ese pequeño cambio que ha dado buenos resultados. Con frecuencia se exagera en un intento de mejorar aún más, y no pasa mucho tiempo hasta que uno se encuentra desorientado y confundido otra vez.

Las lecciones no son para sustituir al entrenamiento, sino para hacer el entrenamiento más útil.

¿Cuál es el problema?

Al enseñar, o al aprender cuál es el problema en un *swing*, decida primero si en lo que hay que trabajar es en el *swing* en sí, o en el ángulo de la cara del palo en el momento del impacto.

Levantar la cabeza

Lo de levantar la cabeza es el mayor pretexto inventado nunca para explicar un golpe horrible. Antes de levantar la cabeza ya se ha cometido el error que produce un mal golpe.

Cuando le pido a un alumno que mantenga la vista sobre la bola, suele ser para darle algo en que pensar, a fin de no perjudicarse. Sólo conozco tres o cuatro buenos jugadores que, realmente, vean la bola en el momento del impacto. Incluso Ben Hogan[9] me dijo una vez que en algún momento, durante la bajada, también él perdía de vista la bola.

---

[9] Ganador de 63 torneos profesionales, y uno de los cuatro jugadores que han conseguido ganar, en años no consecutivos, los cuatro torneos que componen el Grand Slam de golf. *(N. del T.)*

Posición de las manos

En todos los golpes me gusta ver las manos del jugador frente al interior del muslo izquierdo, excepto con la madera 1 (o *drive*).

Con la madera 1 me gusta ver las manos frente a la cremallera del pantalón. No pasa nada si de esta forma quedan ligeramente por detrás de la bola en la colocación. Eso ayudará a golpear la bola hacia arriba, al principio del *follow-through*[10].

Los tres palos más importantes

Una vez vino a verme al club el elegante y erudito escritor de golf Herbert Warren Wind, y me preguntó cuáles creía yo que eran los tres palos más importantes de la bolsa, y en qué orden.

[10] Movimiento del palo hacia adelante, desde el momento del impacto con la bola hasta el final del *swing*. *(N. del T.)*

Le dije que, para mí, eran el "pat", la madera 1 y el *wedge*.

Herb me dijo que le había hecho la misma pregunta a Ben Hogan y que le había contestado: la madera 1, el "pat" y el *wedge*.

Mi razonamiento es que uno juega catorce veces la madera 1 durante un recorrido normal; pero ese mismo día puede llegar a jugar 23 ó 25 "pats" de media distancia, aparte de aquellos tan próximos al hoyo que estarían casi "dados".

Un "pat" de dos metros y un golpe de *drive* de 220 metros cuentan exactamente lo mismo: un golpe; pero el "pat" puede ser mucho más significativo en el resultado. El *drive* es muy importante psicológicamente porque un buen golpe de salida te puede dar mucha confianza. Pero en cuanto se te desvíen un par de *drives* hacia los árboles la confianza se puede empezar a tambalear.

Sin embargo, nada resulta tan importante psicológicamente como meter los "pats". Eso hace subir la confianza vertiginosamente y resulta devastador para los rivales.

Un buen "pateador" es un buen partido para cualquiera; un mal "pateador" no es partido para nadie. Y los árboles están llenos de pegadores de *drive*.

La empuñadura

Como profesor he aprendido que uno de los asuntos más delicados a tener en cuenta es la forma de coger el palo. Hasta el punto de que si usted tiene una mala empuñadura, entonces no le interesa tener un buen *swing*.

Una mala empuñadura requiere hacer feos ajustes en el *swing* para conseguir pegar a la bola con la cara del palo perpendicular a la línea de tiro. Hacer un *swing* bonito, al estilo de Al Geiberger, no sirve de nada a menos que uno coja el palo como lo hace él. Si Geiberger retorciera las manos formando una mala empuñadura, y a continuación hiciera su elegante *swing*, podría enviar la bola fuera de los límites.

Creo que es una buena idea que cada uno intente moldear su *swing* como el de algún profesional de altura y complexión corporal similar, pero sólo si también se estudia a sí mismo e imita su forma de coger el palo.

Si viniera a verme un alumno de los que juegan una vez a la semana, que lleva varios años sin mejorar, y me limitara a enseñarle a coger bien el palo, no le volvería a ver. Pegaría a la bola tan mal a partir de entonces que pensaría que soy el profesor más tonto del país. Para transformar una mala empuñadura es preciso mucho entrenamiento. El profesor sería muy tonto si en una sola clase exigiera una alteración radical a un jugador medio, en especial si el alumno no está dispuesto o no es capaz de entrenar. Pero con un jugador de talento que juegue y practique con frecuencia será una historia muy diferente, casi milagrosa.

Kirby Atwell intentaba entrar en mi equipo en la Universidad de Texas. Tenía un buen *swing,* pero una empuñadura "débil" –con las manos giradas hacia la izquierda– que le hacía abrir la cara del palo. Sus golpes no tenían control y la mayoría volaban desviados hacia la derecha del objetivo, excepto cuando Kirby se esforzaba tanto en hacer que la cara del palo apuntara al objetivo que le salía un horrible *hook*[11].

Después de conocer lo suficientemente bien al chico y su estilo de juego, giré su mano izquierda hacia la derecha. A continuación giré su mano derecha también un poco hacia la derecha. (No crea que por girar la mano izquierda tiene también que mover la derecha para que encajen. Con frecuencia es suficiente mover una sola mano. Pero este chico necesitaba por completo una empuñadura más "fuerte".) Kirby se miró las manos con expresión de incredulidad. Mientras yo las colocaba sobre la empuñadura dijo:

—Harvey, si pego a la bola con esta empuñadura, la voy a "hooquear" por encima de la valla.

Le pedí que lo intentara.

Dio un golpe largo y potente que voló tan recto como una bola puede llegar a volar. Se quedó estupefacto y encantado, claro.

Kirby llegó a ser un excelente jugador en la Universidad de Texas. Pero además de talento, tenía el tiempo y el deseo de llevar su nueva empuñadura al campo de

---

[11] Efecto de vuelo de la bola. El golpe sale en línea recta o hacia la derecha, y luego se curva mucho hacia la izquierda alejándose del objetivo. El efecto contrario, hacia la derecha, se denomina *slice. (N. del T.)*

prácticas y ganar confianza en ella antes de ponerla en práctica en el campo de golf.

Una empuñadura no sirve para todos.

La empuñadura *entrelazada,* con el dedo índice de la mano izquierda (en el caso de los diestros) entrelazado entre el dedo meñique y el anular de la mano derecha, es para personas con dedos pequeños. Gene Sarazen, Jack Nicklaus y Tom Kite la usan.

Yo tengo los dedos largos, y los dedos largos se encuentran cómodos sobre el palo con la empuñadura superpuesta. La empuñadura *superpuesta*, con el dedo meñique de la mano derecha acomodado en el hueco entre los dedos índice y corazón de la mano izquierda, es la más utilizada por todo tipo de jugadores, aunque con muchas variaciones individuales. Ben Hogan, Arnold Palmer, Byron Nelson, Ben Crenshaw, Sam Snead, Al Geiberger y Payne Stewart son algunos de los que la emplean, y ninguna de sus empuñaduras es exactamente igual.

La empuñadura "a dos manos" o "de diez dedos", con todos los dedos sobre el palo –algunas veces denominada empuñadura "de béisbol", aunque el bate de béisbol se sujeta más con la palma de las manos, y el palo de golf con los dedos–, es especialmente buena para mujeres y jugadores de edad a quienes les falte fuerza. Algunos profesionales como Beth Daniel, Art Wall y Bob Rosburg han jugado muy bien con ella. La pequeña Alice Ritzman adoptó esta empuñadura cuando era mi alumna y ganó suficiente distancia como para jugar en el circuito profesional y convertirse en una de las pegadoras más fuertes.

En su famoso libro *Cinco Lecciones*, escrito con Herb Wind, Hogan explica que las puntas del dedo pulgar y el dedo índice de la mano derecha nunca deben tocarse. Otros enseñan que el dedo gordo y el índice deben colocarse como si estuvieran sobre un gatillo.

Bobby Jones utilizaba la empuñadura superpuesta sin que la punta de su dedo índice derecho tocara la empuñadura en absoluto. Pero la parte posterior de la primera falange del dedo índice presionaba sobre la empuñadura. Victor East, de Spalding, diseñó especialmente puños de palos con zonas planas, para que Jones apoyara en ellos la parte posterior de su dedo índice. Estos puños serían ilegales hoy.

Podría seguir y seguir hablando de la empuñadura hasta profundizar tanto que ni siquiera yo lo comprendiera. El hecho es que un gran jugador podría cambiar su empuñadura lo suficiente como para provocar un *draw*[12] o un *fade*, un *slice* o un *hook*, y quien lo observara ni siquiera se daría cuenta del cambio. El gran jugador sí lo nota.

Si usted coge un palo de escoba y adapta sus manos a él, eso se aproximará más a lo que es una buena empuñadura que cualquier otra cosa que yo pueda escribir sobre el lugar hacia donde deben apuntar las "uves" que forman la conjunción de los dedos índice y pulgar de cada mano, y que tanto se mencionan en los libros para explicar esta técnica.

Coja un palo, acople sus manos a él y haga un *swing*. Ahora ponga el mismo tipo de empuñadura en un palo de golf.

Hay una cosa común a los tres tipos de empuñadura que no me gusta ver: no me gusta que se apoye el de-

---

[12] Otro típico efecto de vuelo de la bola. En este caso sale hacia la derecha y se curva sólo ligeramente hacia la izquierda, buscando el objetivo. El efecto contrario se denomina *fade*. *(N. del T.)*

do pulgar de la mano izquierda encima del palo. Me gusta verlo un poquito hacia la derecha. Byron Nelson me dijo que la posición del dedo pulgar izquierdo es una de las cosas más importantes que yo enseño. La razón es que en lo alto del *swing* ese dedo pulgar "quiere" estar debajo del palo. Eso nos proporciona más control.

Cuando yo era entrenador en la Universidad de Texas conocí a muchos chicos del oeste de Texas. A estos chicos se les reconocía por sus empuñaduras "fuertes"; las desarrollaban de modo natural porque jugaban frecuentemente con viento. Era increíble lo lejos que podían jugar un hierro 7. Podían conseguir grandes distancias con una madera 3 o una madera 4 desde el *tee*, pero no podían pegar la madera 1. Sus empuñaduras cerradas disminuían tanto el ángulo de los palos que cerraban totalmente la cara del *drive*. Billy Maxwell fue el primer chico del oeste de Texas de quien puedo recordar que tenía lo que yo llamo una buena empuñadura, con las manos en una posición más intermedia.

No importa cuál de las tres empuñaduras utilice. Un aspecto fundamental es que las manos han de estar tocándose; deben estar acopladas, como una unidad; deben sentirse como si se hubieran fundido juntas. Lo mejor que usted puede hacer es encontrar una empuñadura a la que se ajuste bien, que la sienta cómoda, y mantenerla.

Si la bola vuela bien, entonces la empuñadura es correcta.

Pero si tontea mucho con su empuñadura, pronto empezará a cometer algún error en la subida del palo para corregir el efecto de la empuñadura nueva, y luego hará otro error en la bajada para corregir el error de la subida.

En cuanto a la presión de la empuñadura, manténgala ligera. A Arnold Palmer le gustaba coger el palo muy fuerte, pero usted no es Arnold Palmer.

El *waggle*

Creo que el principal valor del *waggle*, ese movimiento corto hacia atrás y hacia adelante de la cabeza del palo al preparar el golpe, es que excita nuestro deseo de pegar à la bola y hace que empiece a fluir en nosotros la adrenalina.

El *waggle* es un pequeño *swing* de prácticas y una forma de relajar la tensión, a menos que uno se preocupe tanto de ello que se olvide de cuál es su verdadero propósito. Uno de mis alumnos en el club hacía veintiún *waggles* antes de cada *swing*. Cuando, en su partido, llegaba el momento de pegar a la bola, la gente giraba la vista hacia otro lado.

Ben Hogan aconsejaba que uno no se acostumbrara al *waggle*. Simplemente, adquiera una sensación y haga el *swing*. Bobby Jones decía que si le veían hacer el *waggle* más de dos veces, probablemente daría un mal golpe.

A mí no me gusta ver a un jugador hacer el *waggle* una y otra vez. Produce una sensación de inexperto. El gran Horton Smith[13] no hacía ningún *waggle*.

---

[13] Primer campeón del Masters de Augusta, en 1934. Lo volvió a ganar dos años más tarde. *(N. del T.)*

Sujetar el palo

Existe un arte de coger el palo que va más allá de la técnica de la empuñadura. En una ocasión estaba yo dando una conferencia en Nueva York y, como suelo hacer, tenía un palo conmigo. No es que me creyera Bob Hope, pero siempre encontré más sencillo hablar a la gente, especialmente a grupos numerosos, si tenía un palo de golf en las manos.

De repente oí a uno de los profesionales decir: "Mira a Harvey. Sujeta ese palo como si fuera un delicado instrumento musical."

Así es como yo noto el palo de golf: como un delicado instrumento musical.

En otra conferencia, en Houston, estábamos enseñando Jackson Bradley, Jimmy Demaret, Jack Burke, Jr., y yo. Entonces comenté la forma tan hermosa en la que Jackie Burke sujetaba el palo. La apariencia de sus manos parecía perfectamente natural. "Déjame añadir –dijo Jackson Bradley– que la posición de las manos de Jackie parece perfecta, pero es que también lo parecen hasta sus ropas." Jackson nos enseñó sus propias manos: "Mis dedos están un poco torcidos –dijo–. Mi empuñadura podría ser tan buena como la de Jackie, pero mis manos nunca tendrán un aspecto tan bueno en el palo como las suyas."

Miren el palo en manos de Ben Crenshaw. Sus manos y sus dedos encajan con tanta gracia, con tanta naturalidad, que a veces estaría dispuesto a considerar su empuñadura como una obra de arte. Lo mismo puede decirse de Mickey Wright y Dave Marr, entre otros.

Tommy Kite y Jack Nicklaus cogen muy bien el palo, pero su empuñadura nunca parecerá tan artística porque sus dedos son cortos y utilizan la empuñadura entrelazada, que no me resulta tan atractiva.

La lección más fácil

La lección más fácil que he dado nunca fue a Don January.

Don había sido una figura en la North Texas University y había ganado, en el circuito *amateur* de Texas, una serie de torneos que atrajo a tantos buenos golfistas que se podría llenar un libro entero con sus nombres.

Don se preguntaba si sería capaz de ganarse la vida en el circuito profesional. Vino a verme y me preguntó si podía echarle un vistazo a su *swing*, darle mi opinión sincera sobre su juego y ayudarle a corregir los errores.

Primero le vi jugar unos cuantos "pats". Luego fuimos al campo de prácticas y le pedí que pegara media docena de hierros cortos. Entonces le pedí que jugara media docena de hierros medios, seguida de varios golpes con hierros largos.

No le dije nada más, aunque sabía que él estaba deseando que yo le dijera algo. En lugar de eso le pedí que pegara algunos golpes con el *drive*.

Cuando lo había hecho, se giró y me dijo: "Bien, ¿qué es lo que necesito?"

Le dije: "Don, necesitas recoger tus palos, irte a California y entrar en el circuito."

Final de la lección.

Leyendo las palmas

La gente siempre me pide que les mire los callos que tienen en las palmas de las manos, como si su situación y su aspereza me fueran a decir si su empuñadura es correcta.

Recuerdo una persona que le pidió a Sam Snead que le dejara ver los callos de sus manos. Sam le dijo: "Yo no tengo ningún callo." Sam aseguraba que él sujetaba el palo como si tuviera un pájaro vivo entre las manos, con la presión justa para que el pájaro no pudiera echar a volar, pero no tan fuerte como para que no pudiera respirar. Coja usted el palo de esta forma y tampoco le saldrán callos.

Coja el palo con firmeza pero no con fuerza; mantenga los codos y los hombros ligeramente relajados. Esto es especialmente importante para las mujeres porque les ayuda a golpear dando un "latigazo" mayor.

Lo que causa los callos es que el jugador coloque las manos sobre el palo y, luego, las gire formando lo que parece una buena empuñadura, pero que, en realidad, no lo es.

Coloque las manos correctamente sobre el palo, y déjelas tranquilas. No existe ninguna necesidad de darles vueltas en un esfuerzo vano de hacer que las "uves" apunten hacia donde uno piensa que deberían apuntar. Si usted insiste en mover las manos y los dedos después de colocarlas sobre el palo, conseguirá dos cosas no deseables: camuflará una mala empuñadura y le saldrán callos.

Empezar de joven

La mejor edad para introducir a un niño en el golf es el momento en que él, o ella, se interesa por el juego. No creo que los padres deban forzar a los niños que, en realidad, preferirían estar haciendo alguna otra cosa. Pero si un pequeño de cuatro o cinco años de edad está deseando salir a jugar con papá y mamá, entonces es el momento de empezar.

No sea demasiado preciso en cuanto a la empuñadura o cualquier otro elemento técnico. Deje utilizar al niño su habilidad natural, pero trate de que coloque las manos juntas y asegúrese de que el palo que le da tiene suficiente ángulo. El problema empieza cuando el niño utiliza un ángulo demasiado cerrado e intenta elevar la bola en el aire. Cuanto más intente el niño ayudar a la bola a elevarse, menos se elevará.

Asegúrese también de que el palo es suficientemente ligero. Un niño desarrollará una mala empuñadura si intenta mover un palo demasiado pesado. Mi primo D. A. Penick, un profesor de griego que se desplazaba por la ciudad en bicicleta y que fue entrenador de tenis en la Universidad de Texas durante cincuenta años, desanimaba a los niños a hacer *swings* con la raqueta de tenis por la misma razón.

Cuando lleve a su hijo a ver a un profesional, dígale que es para ayudarle. La palabra lección suena como a ir al colegio y eso no suele ser divertido. El golf debe ser divertido. Con los niños yo nunca digo *enseñar* o *lección*.

Las lecciones en grupo para niños están bien, pero en algunos casos la enseñanza puede complicarse hasta interferir en la habilidad natural del niño. Tenga cuidado especial con el profesor de grupo que sea un mal jugador, que enseñe a los niños sólo lo que ha leído en el último libro de "Cómo jugar..." y que, probablemente, ni siquiera él mismo comprenda. Si ve a un profesor intentando enseñar a un grupo de niños a imitar la colocación o el *swing* de Ben Hogan, por ejemplo, saque a su niño de ese grupo. La forma en que Hogan lo hacía es especial para Hogan. Su niño es especial a su manera.

Un profesional debería controlar el *swing* de un niño una vez al mes, más o menos, lo justo para reorientar su juego por el camino adecuado.

Practicar es un tema individual. Cuando era pequeño, Ben Crenshaw siempre jugaba más de lo que practicaba, y Tom Kite siempre practicaba al menos tanto como jugaba. Hogan practicaba. Byron Nelson jugaba, y también practicaba. Sea lo que sea lo que quiere el niño, jugar o practicar, eso es lo que debe hacer.

Lo peor de todo es cuando veo a un papá, en el campo de prácticas o en el recorrido, regañando constantemente al niño para que no levante la cabeza, mantenga el brazo izquierdo estirado, o se fije en la bola. Siempre mala información. Todo esto puede que sea divertido para papá, pero está dañando el desarrollo del niño.

Si usted tiene la suerte de poder pasar mucho tiempo con su hijo en el campo de golf, y de proporcionarle la ayuda adecuada de un profesor, su niño le empezará a ganar partidos antes de lo que usted piensa.

Métalas todas

Dos padres vinieron a verme, orgullosos, al club para anunciarme que su hijo acababa de hacer su primer *birdie*. Les dije que era maravilloso y les pregunté qué distancia tenía el "pat" que el niño había metido. Los padres dijeron que el "pat" era sólo de medio metro, así que se lo "dieron" al niño para asegurarle su primer *birdie*.

—Tengo malas noticias para ustedes –les dije–. Su hijo no ha hecho todavía su primer *birdie*.

El niño no sólo no había metido el "pat", sino que ahora tenía plantada en su mente la idea de que podía levantar la bola a medio metro del hoyo y concederse él los "pats", no teniendo así que enfrentarse con la verdadera realidad.

Cuando su hijo llegue a un nivel de juego superior, en el que no hay "pats" dados, puede desarrollar una ansiedad respecto a los "pats" cortos que le afectará el resto de su vida. Mi norma es que un niño, por pequeño que sea, tiene que meter todos los "pats". Si su hijo crece sabiendo que tiene que meter todos los "pats" cortos, los convertirá automáticamente en parte del juego. Cuando llegue a niveles más serios y tenga que meter "pats" de medio metro para ganar partidos importantes, estará debidamente preparado.

Aprender alrededor del hoyo

El golf debería aprenderse empezando por el hoyo y progresando hacia el *tee*.

Estoy hablando de niños, pero lo mismo podría aplicarse a principiantes adultos. Mas los adultos piensan que eso es demasiado sencillo. El principiante adulto, especialmente si es un hombre, cree que no está sacando todo el partido a su dinero si se le pide que pase una hora metiendo "pats" cortos. Él lo que quiere es sacar la madera 1 y machacar la bola, que es lo último que haría si aprendiera conmigo.

El principiante que quiere aprender el juego en el *tee* y progresa hacia el *green*, dejando para el final el juego corto, tendrá suerte si alguna vez llega a ganar a alguien. A mí me gusta que los jóvenes aprendan el juego en el *putting-green*, con un palo de "chipear", un "pat" y una bola. Siempre me quedaré con un "chipeador" y un "pateador" que tenga "toque", por encima del que tenga un *swing* bonito pero ninguna sensación de por dónde va a rodar la bola.

Un golpe de *chip* es una versión pequeña de un *swing* completo. Con este método el niño aprenderá la sensación de un buen golpe y las cualidades inexplicables del "toque", si los mayores le dejan. El mejor *swing* del mundo no sirve de nada si el jugador no tiene "toque" o sensación. Sin embargo, un *swing* raro, pero en el que el niño tenga confianza y una buena sensación de cómo usarlo, y con el que acerque la bola al hoyo, será el mejor *swing* del mundo para ese niño.

Muchos de los mejores "pateadores" y "chipeadores" de la historia aprendieron en el terreno de los *caddies*. No se les permitía jugar en el campo, pero ellos encontraban tiempo para practicar alrededor de los *greens*.

Me gusta que los niños practiquen con una sola bola, la "chipeen" hacia el hoyo y luego vayan a "patearla". Así es como el niño aprende a hacer un buen resultado. Para un niño es un método muy malo "chipear" una docena de bolas o más al mismo hoyo, una detrás de otra. Le da demasiado margen para cometer errores. Si el niño puede hacer un mal *chip* y entonces coger otra bola y "chipearla" otra vez, eso no le muestra la realidad del juego del golf, que se basa en que uno tiene que pagar por sus errores.

Lo mejor es que el niño practique juegos con otros niños en el *putting-green* o a su alrededor. A mí me gusta que se jueguen algo, bien sean chupa-chups, o una cocacola o un Open imaginario de los Estados Unidos. Lo que sea, siempre que haya algo en juego que haga al niño concentrarse en hacer menos golpes que los otros niños para meter la bola en cada hoyo. Algunos niños son competidores naturales, otros pueden aprender a serlo, y a otros les tiene sin cuidado serlo o no. Practique juegos de potencia y enseñe a competir. Aquellos a quienes no les importe se dejarán llevar hacia alguna otra cosa por la que sí tengan interés.

Recuerdo cuando Ben Crenshaw tenía seis años, dos

años antes de que yo le diera su primera lección. Él y su papá, Charlie, y el gran jugador de tenis Wilmer Allison, que relevó a mi primo como entrenador de la Universidad de Texas, jugaban y jugaban en el *putting-green* una hora tras otra. Ben estaba desarrollando así, sin saberlo, el "toque" y la acción del *swing* que le convertirían en uno de los mejores "pateadores" de la historia. No pasó mucho tiempo antes de que empezara a ganarles apuestas de 25 centavos a los mayores.

No todo el mundo está de acuerdo conmigo en aprender el juego desde el hoyo hacia atrás, por supuesto. A Arnold Palmer le enseñó su padre a pegar a la bola con fuerza desde que era muy pequeño. Había un hoyo en su campo de golf que exigía un vuelo muy largo de la bola por encima del agua. El pequeño Arnold esperaba allí a los mayores que venían jugando y les apostaba una moneda de diez o de veinticinco centavos a que era capaz de sobrepasar el agua. Y lo conseguía. Al mismo tiempo, Arnold se convirtió en un gran "pateador".

Ése es el quid de la cuestión en el golf. Aparte de lo que diga el Libro de Reglas de la USGA[14], no existen formas perfectas de enseñar o de aprender el juego del golf. Pero si lo primero que aprende su niño es a jugar en y alrededor del *green*, el progreso en la mayoría de los casos será más rápido y las habilidades que aprenda durarán más.

---

[14] Las Reglas del Golf son modificadas y establecidas conjuntamente por la Asociación de Golf de los Estados Unidos (USGA) y el *Royal and Ancient Golf Club* de St. Andrews (R&A). *(N. del T.)*

¿Necesita usted consejo?

Si juega mal un día, olvídelo.

Si juega mal a la siguiente vez, revise sus fundamentos sobre la empuñadura, la colocación, la forma de apuntar y la posición de la bola. La mayor parte de los errores se cometen antes de empezar a hacer el *swing*.

Si juega mal por tercera vez consecutiva, vaya a ver a su profesor.

El codo derecho

Cuando digo a mis alumnos que vuelvan a colocar el codo derecho al costado del cuerpo, quiero decir en la bajada del palo, no en la subida.

Muchos alumnos llegan a mí con todo tipo de ideas extrañas que les han enseñado. Intentan hacer el *swing* con una toalla debajo del brazo derecho, pero con eso el brazo queda prácticamente atado al cuerpo y el resultado es un *swing* demasiado corto y plano.

Algunos de mis alumnos me dicen que este ejercicio de colocar la toalla bajo el sobaco derecho es una vieja forma de enseñar. Pero los escoceses no enseñaban de esa manera. Fíjense en cualquier fotografía de Harry Vardon[15].

Deje que su codo derecho se mueva libremente, pero vuelva a colocarlo junto al cuerpo cuando inicie la bajada del palo hacia la bola.

Nosotros teníamos un *amateur* muy bueno en Texas, Jack Munger, que jugaba con el codo derecho pegado al costado y ganó un montón de trofeos. Pero el hecho de que funcionara para Jack no quiere decir que sea bueno para usted.

Take dead aim

Tan pronto como supe que mi alumna Betsy Rawls iba a jugar el *play-off* de desempate en el Open de los Estados Unidos femenino le mandé un telegrama con una sola frase. Decía: *Take dead aim.*

Para los golfistas que no entiendan la forma de hablar de Texas les explicaré de otro modo el mensaje del telegrama:

A partir del momento en que se haya colocado usted frente a la bola, lo más importante en su vida debe ser golpearla. Elimine cualquier otro pensamiento que no sea el de seleccionar un objetivo (no necesariamente la bandera) y apuntar directamente hacia él.

En el peor de los casos será una buena forma de cal-

---

[15] Destacado jugador británico de principios de siglo, ganador de cinco Open Británicos. *(N. del T.)*

mar los nervios; en especial en el primer golpe del día. Todo el mundo se pone nervioso en el *tee* del hoyo 1, ya sea Betsy Rawls en un desempate en el Open de los Estados Unidos o un hándicap alto que se juega dos dólares con sus amigos en el club. Así que, en lugar de preocuparse por quedar como un tonto delante de cuatro, o de cuarenta mil, espectadores, olvídese del aspecto de su *swing* y concéntrese en dónde quiere que vaya la bola. *Pretty is as pretty does,* es decir, sólo es bonito de verdad lo que da buen resultado.

Antes de los partidos de mi equipo en la universidad, yo siempre daba a mis jugadores este mismo consejo: *Take dead aim.* Es un consejo maravilloso que conviene tener en la mente durante todo el recorrido; no sólo en el *tee* del 1. Apunte directamente a una zona de la "calle" o del *green*, no deje que entre ningún pensamiento negativo en su cabeza, y haga el *swing*.

El jugador de hándicap alto se sorprenderá de la frecuencia con que la mente obliga a los músculos a llevar la bola hasta el objetivo, incluso con un *swing* imperfecto.

El jugador experto no se sorprenderá tanto porque habitualmente espera alcanzar su objetivo. Pero incluso el jugador experto deja, a veces, que algún pensamiento descontrolado le distraiga de la razón primordial del golpe, que es alcanzar el punto deseado.

Nunca será demasiado repetirlo tantas veces; es el consejo más importante de este libro: *Take dead aim.*

Impóngase llevarlo a cabo en cada momento, en cada golpe. No lo haga sólo cuando se acuerde.

Take dead aim.

Betsy Rawls ganó aquel desempate.

Cuidado

Uno de mis jugadores de la Universidad de Texas ganó con facilidad su primer partido en un torneo que jugaba en Carolina del Norte. Me telefoneó y me dijo: "Creo que puedo ganar fácilmente al jugador que me toca mañana. Le he visto y tiene una empuñadura muy mala, y un *swing* también muy malo." Naturalmente, mi jugador perdió su siguiente partido.

"La lección a aprender –le dije más tarde– es que no debes tener miedo del jugador con una buena empuñadura y un mal *swing*. Tampoco temas a un jugador con una mala empuñadura y un buen *swing*. El jugador con el que hay que tener cuidado es con el que tiene una mala empuñadura y un mal *swing*; porque si ha alcanzado tu nivel, será porque ha pulido sus defectos y sabe cómo conseguir un buen resultado."

Cómo eliminar cinco golpes de sus resultados

El jugador medio nunca mejora sus resultados golpe a golpe. La mejora suele venir por plataformas.

Un jugador que hace un promedio de 95 golpes no baja lentamente a 94, luego a 93, 92, 91 y 90. El que tiene un promedio de 87 golpes tampoco baja gradualmente a 86, 85, 84, etcétera. En lugar de eso, el del promedio de 95 bajará de repente hasta 90 golpes. El de 87 puede hacer, de la noche a la mañana, 81. Por el mismo motivo un jugador que suela hacer 80 golpes puede caer rápidamente y alcanzar cifras en torno a 75. Una vez que uno llega a hacer regularmente 75 golpes, más o menos, deja de ser un jugador medio y se aproxima al nivel de experto, donde los progresos se consiguen más despacio.

Hay muchas razones por las que el jugador de 95 golpes se puede convertir en uno de 90. Sencillamente, tal vez haya aprendido a curar su *slice*. El de 87 puede bajar hasta 81 al aprender a golpear la bola veinte metros más desde el *tee*, con lo que consigue alcanzar más *greens* en los golpes previstos.

Como norma general, el jugador que hace 75 golpes sólo puede bajar a 72 si mejora su juego corto, a menos que fuera su maestría en esta parte del juego lo que le permitiera, en primer lugar, hacer 75.

El juego corto. Ésas son las palabras mágicas. Cuanto

más elevados sean sus resultados más rápido puede rebajarlos con el juego corto. No existe ningún misterio en ello. Cualquiera que juegue mucho al golf sabe que la mitad de sus golpes, aproximadamente, los juega a menos de sesenta metros de la bandera. Y, sin embargo, cuando vemos a un hándicap alto practicar, ¿dónde solemos encontrarle? Muy probablemente en el campo de prácticas, desahogándose con el *drive*.

Si yo le preguntara a un jugador medio qué porcentaje de su tiempo de entrenamiento dedica al juego corto, en comparación con el que dedica a los golpes largos, probablemente me diría que entre un 10 y un 20 por 100; y seguramente sería una mentirijilla. Un jugador medio dedica como mucho 15 minutos a jugar algunos "pats", si tiene tiempo, antes de salir al *tee* del 1, y eso será todo lo que practique su juego corto.

Si usted quiere ver una mejora definitiva en su juego y eliminar de sus resultados cinco golpes en una o dos semanas, debe hacer un cambio radical en su forma de entrenar: durante dos semanas dedique el 90 por 100 de su tiempo de entrenamiento a "chipear" y "patear", y sólo un 10 por 100 al *swing* completo. Si hace esto, sus 95 golpes se convertirán en 90. Se lo garantizo.

Ya me imagino al jugador medio moviendo la cabeza y reconociendo: "Sí, sí. Ya sé que eso es lo que debería hacer." Sin embargo no lo hace. En lugar de eso, vuelve al campo de prácticas a desahogarse con *swings* completos; a dar cuarenta golpes seguidos con la madera 1 por el mínimo placer de esos cuatro o cinco golpes bien pegados.

Yo nunca les permitiría a mis jugadores de la universidad, ni a los profesionales que vienen a pedirme ayuda, dar cuarenta *drives* seguidos. Esto sólo provoca fatiga y malas costumbres. Mis jugadores de la universidad y los profesionales son expertos, y por eso comprenden la tremenda importancia del juego corto. Tom Kite, por ejemplo, dedica muchas horas a su *swing* completo, pero practica todavía más sus *wedges*, su *chip* y su "pat", porque sabe que eso es lo que produce buenos resultados; y sin buenos resultados, no sería el líder en ganancias en toda la historia del golf.

Así que, si quiere eliminar cinco golpes de sus resultados, deje los palos largos en la bolsa y váyase al *putting-green*. Bobby Jones decía que el secreto de hacer resultados bajos era desarrollar la habilidad para transformar tres golpes en dos.

Esto me recuerda un partido que presencié en la liga universitaria. Yo tenía un buen jugador, Billy Munn, a quien le tocó jugar contra R. H. Sikes, de Arkansas, en el viejo Austin Country Club. Billy cogió todas las "calles" y 17 *greens*, e hizo 67 golpes. Sikes cogió pocas "calles" y tal vez sólo cinco *greens*, pero hizo 66 golpes y ganó a Billy por 1 arriba.

Después del partido encontré a Billy y le dije: "Estoy orgulloso de ti. Has jugado un recorrido de golf maravilloso. Pero nunca creas que lo que has visto hoy ahí afuera ha sido suerte." Sikes tenía un juego corto sensacional, como demostró luego en el circuito profesional.

Es posible que usted no llegue nunca a desarrollar un juego corto tan bueno como el de Sikes, pero si practica mucho su *chip* y su "pat" puede rebajar rápidamente sus resultados. Depende de usted.

Emerson dijo: "Pensar es el trabajo más duro del mundo. Por eso somos tan pocos los que lo hacemos." Tal vez demasiados golfistas piensan que "chipear" y "patear" sea un trabajo duro. Por eso son tan pocos los que lo hacen.

Recuperar la confianza

Una de mis alumnas favoritas, Sandra Palmer[16], que tuvo mucho éxito en el Circuito LPGA[17], me llamó una noche desde la sede del Open de los Estados Unidos. Estaba preocupada por la velocidad de los *greens*. Me dijo que eran los más rápidos que había visto nunca. El torneo empezaba a la mañana siguiente y Sandra se estaba poniendo nerviosa preguntándose si sería capaz de "patear" en *greens* como esos. ¿Tal vez debería cambiar su forma de "patear"?

Yo sabía que Sandra era una buena pateadora, y que lo único que necesitaba era recuperar la confianza.

—Escucha Sandra –le dije– si los *greens* están rápidos, tal vez debas jugar los "pats" un poco más suaves.

Aquello fue suficiente.

Mis alumnos me preguntan siempre si deberían cambiar de "pat" cuando van a jugar a un club con *greens* más rápidos. Probablemente sea verdad que si uno revisara las bolsas de palos de los socios de Oakmont –famoso por sus *greens* rápidos–, encontraría "pats" pesados en la mayoría de ellas. Pero uno debe aferrarse a su "pat" favorito cuando va a un campo con *greens* más rápidos, o lentos, de lo normal.

---

[16] Ganó 21 veces en el circuito profesional, incluido un Open de los Estados Unidos. *(N. del T.)*
[17] Circuito femenino profesional americano. *(N. del T.)*

Es más fácil coger la sensación de *greens* distintos que de un "pat" distinto.

El *swing* de prácticas

¿Cuántas veces ha visto a un jugador medio hacer dos o tres preciosos *swings* de prácticas, y luego colocarse a la bola y hacer un *swing* totalmente diferente y dar un golpe horrible?

Sucede una y otra vez.

Como *caddie*, como profesional, como profesor y como *starter* en el *tee* del 1 del Austin Country Club durante los últimos setenta y cinco años, probablemente haya visto más *swings* de golf que ninguna otra persona viva. El *swing* de prácticas y el *swing* real que acabo de describir los he debido ver un millón de veces. Y el jugador medio siempre termina diciendo: "Si pudiera dar a la bola con mi *swing* de prácticas, sería un jugador estupendo."

La razón por la que luego no da a la bola con el mismo *swing* que el de prácticas es sencilla: porque con el *swing* de prácticas no tiene que cuadrar la cara del palo en el impacto y, por eso, lo hace con mucha más libertad. Pero cuando tiene una bola de golf delante sabe –al menos inconscientemente– que tiene que cuadrar la cara del palo, y la tensión crece provocando todo tipo de errores.

Ahora permítame hacerle otra pregunta: ¿Cuántas veces ha visto a un jugador hacer dos o tres preciosos *swings* de prácticas que no tocan nada más que el aire? Estos *swings* están bien para "soltarse", pero no sirven cuando llega el momento de golpear a la bola. De ahora en adelante, cuando haga un *swing* de prácticas no se limite a golpear al aire. Corte con el palo una margarita o una brizna de hierba; o, si se encuentra en el salón de su casa, apunte a una marca de la alfombra (pero, por favor, no saque una chuleta y le diga a su mujer que es un consejo de Harvey). Un objetivo así, en el *swing* de prácticas, le ayudará a aprender a cuadrar la cara del palo. Nunca haga otro *swing* de prácticas sin golpear alguna cosa.

Una cosa más sobre los *swings* de prácticas: hacer dos o tres *swings* de prácticas mientras se está jugando en el campo de golf lleva demasiado tiempo. En estos días, en los que es frecuente tardar cuatro o cinco horas en completar un recorrido, necesitamos agilizar el juego, no ralentizarlo. En muchos campos de Escocia y de Inglaterra hay una señal en el *tee* del 1 que dice: "Un recorrido de golf no requiere más de tres horas y quince minutos. Si tardan más tiempo, se acercará un *marshall* y les acompañará fuera del campo." Les aseguro que es raro ver a los escoceses holgazanear haciendo *swings* de prácticas.

El jugador medio

Yo utilizo mucho el término "jugador medio", pero a veces me pregunto ¿qué es un jugador medio?

En algún sitio he leído que las estadísticas demuestran que el jugador medio suele hacer unos 92 golpes. Y no me lo creo. No si cuenta cada golpe y juega de acuerdo con las reglas. Si juega nuestro campo, diseñado por Pete Dye, desde los *tees* de caballeros y metiendo todos los "pats", el jugador medio no hará menos de 100 golpes.

Una vez apareció por el club un grupo de cuatro invitados japoneses que querían jugar nuestro campo, del que habían oído hablar en Tokio. Les pregunté qué tal jugaban, para así recomendarles desde cuál de nuestros cuatro juegos de *tees* –damas, *seniors,* caballeros o profesionales– debía sugerirles jugar cada hoyo.

Me dijeron que eran jugadores medios y que jugarían desde los *tees* de profesionales porque querían ver todo el campo. Yo sabía que no iban a ver todo el campo desde los *tees* de detrás, porque desde allí no serían capaces de jugar por encima de algunos de los barrancos. Pero, al fin y al cabo, eran invitados. Terminar el hoyo 1, que es relativamente fácil (un *dog-leg*[18] a la izquierda muy pronunciado, cuesta arriba y por encima de un barranco), les llevó veinte minutos y perder tres bolas.

Unas seis horas más tarde me di cuenta de que nuestros invitados japoneses estaban todavía en el campo, y salí a buscarles. Les encontré en el hoyo 14. Uno estaba entre los árboles, otro abajo, en un barranco, el tercero estaba buscando la bola por el raf profundo de una ladera, y el cuarto me saludó con una amplia sonrisa.

—Un campo muy bueno –me dijo.

—¿Qué tal les va? –le pregunté.

—Muy bien –contestó.

Recordé que Dick Metz decía que un profesional de

---

[18] Nombre que reciben los hoyos que no son rectos, sino lugares donde la trayectoria de juego se desvía. *(N. del T.)*

club es mitad mula y mitad esclavo, y en lugar de acompañarles fuera del campo les pedí amablemente que terminaran de jugar antes de que oscureciera, y regresé al club.

Más tarde les oí calcular sus resultados. Cada uno de ellos había hecho poco más de 90 golpes. La verdad es que, de acuerdo con las reglas, ninguno de ellos había bajado de 100 golpes... en los nueve primeros hoyos.

Pero la verdad es que tampoco ellos eran jugadores medios.

Cómo saber hacia dónde está apuntando

Colóquese a la bola y tumbe el palo sobre sus muslos. Observe adónde apunta el palo y, automáticamente, verá adónde está apuntando su golpe.

Colocar un palo en el suelo, tocando las puntas de los pies, le dirá muy poco. De todas formas, la gente se crea un problema demasiado grande buscando el lugar hacia dónde apuntan. Golpee la bola con solidez y comprobará dónde está apuntando. Una vez que aprenda esto, su mente le dirá cómo apuntar.

Ciudadanos maduros

Una de las muchas cosas maravillosas que tiene el golf es que es un deporte al que se puede jugar durante toda la vida.

De hecho, los "ciudadanos maduros" –un término que prefiero al de *senior*– pueden disfrutar aún más del juego que cuando eran jóvenes porque cuanto más se mete uno en el golf más aprende el valor de la libertad, el compañerismo, el placer de estar al aire libre en entornos hermosos, y los profundos misterios del juego en sí. El golf, como el ajedrez, es un juego que siempre plantea un reto y nunca puede ser dominado.

A medida que un golfista envejece y se convierte en un ciudadano maduro, la edad se cobra su factura en la vista, los músculos, la flexibilidad y, con demasiada frecuencia, los agujeros del cinturón. Pero hay muchas formas en las que un ciudadano maduro puede seguir consiguiendo resultados tan buenos como cuando era joven, o incluso mejores, gracias a la sabiduría de la edad y al nuevo material de golf del que puede disponer.

Ante todo, un ciudadano maduro debe hacer todo el esfuerzo posible por mantenerse en buena forma física. Si puede andar en el campo de golf, hágalo. Salga de ese cochecito. Si sus compañeros de partido insisten en montar en él, acompáñeles, pero camine siempre que tenga oportunidad de hacerlo.

Lleve en la mano los dos o tres palos que sepa que puede necesitar y no tema frenar el ritmo de sus compañeros. La verdad es que un partido de jugadores que caminen deprisa puede hacer el recorrido más rápido que un partido en un cochecito de golf. Los golfistas en cochecitos siempre están conduciendo de un lado a otro, de una bola de golf a la otra, perdiendo mucho tiempo. Si encima existe la regla en su club de que el cochecito no puede salir del camino asfaltado, entonces los jugadores perderán aún más tiempo seleccionando el palo y haciendo viajes innecesarios de la bolsa de palos a la bola, y viceversa.

Los cochecitos son un instrumento muy valioso para los ciudadanos maduros que no pueden, físicamente, hacer un recorrido de golf sin ellos. Uno de nuestros socios necesita permanentemente una bombona de oxígeno, pero el cochecito de golf le permite seguir disfrutando del juego.

He notado que aquellos que prefieren caminar suelen hacerlo juntos. Si usted camina llevando una bolsa ligera, o tirando de los palos en un carrito, seguro que pronto podrá hacer partidos con gente que piensa igual que usted. Caminar mantiene fuertes las piernas de los ciudadanos maduros, y las piernas fuertes ayudan a hacer un *swing* más poderoso.

En este punto acentuaré –y es vital– que un ciudadano maduro debe dejar que el talón izquierdo se levante del suelo en la subida del *swing*. Si deja levantarse el talón y dobla un poco el codo izquierdo, podrá conseguir un *swing* más largo y suelto. Algunos profesores modernos exigen a sus alumnos que mantengan el talón izquierdo en el suelo. Yo no estoy de acuerdo con este tipo de enseñanza para ningún jugador, pero mucho menos para los ciudadanos maduros. Uno de los factores más importantes en el *swing* de un jugador mayor es el giro del cuerpo. Mantener el talón izquierdo en el suelo lo hace más difícil. Pero no intenten levantar el talón; simplemente, déjenlo levantarse cuando quiera.

El brazo izquierdo estirado también inhibe el giro. Si un ciudadano maduro ha ganado volumen en el pecho y en el estómago, no debería hacer ningún esfuerzo por intentar mantener el brazo izquierdo estirado en lo alto del *swing*. El jugador debe intentar hacer el *swing* más largo, no más corto, a medida que pasan los años.

Otro bloqueo para el cuerpo es intentar mantener la cabeza baja demasiado tiempo. Casi nunca pido a ningún alumno mío que mantenga la cabeza baja, y mucho menos a un jugador mayor. Mantener la cabeza baja impide una buena prolongación del *swing,* porque al tenerla así el jugador no puede llevar el palo más allá de la altura de las caderas y conseguir al mismo tiempo una buena postura final.

Aparte de fortalecer las piernas y de hacer muchos ejercicios de estiramiento, una de las principales consideraciones para el jugador mayor es elegir los palos adecuados. No se debe manosear demasiado un *swing* que ha sido bueno durante décadas, pero ahora es el momento de añadir a su juego de palos una madera 5 ó 6, y especialmente una madera 7. Los ciudadanos maduros deben también jugar con varillas más blandas. Si usted utilizaba varillas "S"[19] cuando era joven, cambie a varillas "R". Si había estado usando varillas "R", puede que necesite varillas "A". Usted ya no le pega tan fuerte como cuando era joven, y ya no puede sacar tanto partido de las varillas más rígidas.

---

[19] Letras que reflejan la cualidad de doblarse de la varilla. "S" es más rígida que "R", y "R" más rígida que "A". *(N. del T.)*

Los hombres deberían usar "pesos de *swing*"[20] D-0 o inferiores. Las mujeres no deberían utilizar más de C-6 o C-8.

No me gusta ver a los ciudadanos maduros cambiar a varillas más largas en un esfuerzo por conseguir mayor distancia. Una varilla más larga provoca un cambio muy grande en el plano del *swing*, de vertical a horizontal. Los *swings* horizontales (o "planos") requieren un giro mayor, que resulta difícil para el jugador de edad. Si uno pega a la bola con solidez, puede conseguir suficiente distancia.

Muchos ciudadanos maduros tienen problemas en las manos por la artritis. Existen empuñaduras especialmente preparadas para poder sujetar bien el palo. Las empuñaduras de goma son más aconsejables porque se adhieren mejor. Las empuñaduras de piel no tienen tanta capacidad para adaptarse.

Aparte de esto, el ciudadano maduro puede intentar coger el palo con una empuñadura de diez dedos, que permitirá mover las manos con mayor rapidez.

Una desventaja que tienen los jugadores mayores es que han aprendido a jugar al golf antes del tremendo cambio moderno en el mantenimiento de campos de golf; aprendieron cuando era necesario golpear hacia abajo y sobre la bola, porque había poca hierba. Hace años jugábamos con la bola frente al pie derecho, de manera que pudiéramos golpearla hacia abajo sobre el terreno pelado. Hoy, las calles bien regadas y cargadas de césped hacen que el golpear hacia abajo sobre la bola sea una técnica anticuada. Actualmente, los golpes

---

[20] El peso del *swing* es lo que pesa la cabeza del palo en relación al peso total del palo. Es más difícil controlar un palo con un peso del *swing* alto (D-0, por ejemplo), que con peso del *swing* bajo (C-6, p. ej.). *(N. del T.)*

con los hierros no necesitan que la bola esté más retrasada; puede encontrarse ésta en el centro, entre los pies.

Un ciudadano maduro debería dar clase a intervalos regulares con un profesor que entienda los problemas de los golfistas mayores. No les interesa un profesor que intente reconstruirles el *swing* que han estado empleando durante décadas. Es mejor un profesor que les ayude a sacar el máximo partido del *swing* que ya tienen.

Tal vez lo más importante de todo sea que el ciudadano maduro dedique el 75 por 100 de su tiempo de práctica al juego corto. Yo hablo constantemente de la importancia del juego corto para los golfistas de todas las edades, pero he comprobado que si practica este aspecto del juego, el golfista mayor que nunca haya bajado de 90 golpes puede conseguir mejorar sus resultados. Una persona retirada tiene tiempo para practicar el juego corto, y los golpes cortos no requieren fuerza ni flexibilidad.

No me pretexte que es usted viejo, y que sus nervios están tan deshilachados, que no puede "patear". En cualquier club de golf hay unos cuantos vejestorios capaces de meter miedo al hoyo "chipeando" y "pateando".

Es cierto que el jugador mayor no puede pegar a la bola tan largo como el joven de estómago liso, pero una vez que lleguen al borde del *green* usted y el golfista joven están en las mismas condiciones. O incluso puede usted tener ventaja si practica con fidelidad su juego corto. Igual que les sugiero a los niños, el ciudadano maduro sacará más partido a su entrenamiento de *chip* y "pat" con una sola bola que con un cubo entero. Juegue esa bola hacia el hoyo y, a continuación, "patéela" hasta meterla en el hoyo, igual que haría en el campo de golf si estuviera jugando un partido. Esto agudizará su concentración y mejorará su "toque".

Usted dispone de mucho tiempo. Convierta el entrenamiento en un juego. Puede que sea un ciudadano maduro, pero, en el fondo de su corazón, sigue siendo un niño, y así lo siente.

El talón izquierdo

El talón izquierdo es la clave que distingue distintas escuelas de enseñanza del golf.

Muchos profesores modernos piden a sus alumnos que mantengan el talón izquierdo en el suelo durante el *swing*. Los profesores de la vieja escuela, como Percy Boomer o los grandes profesionales escoceses, preferían que el talón izquierdo se levantara en la subida del palo y volviera a apoyarse al comienzo de la bajada.

Yo soy de la vieja escuela, no sólo porque produce un *swing* más clásico –que así es–, sino porque la mejor forma de completar la subida es dejando que el talón se levante. Pero lo importante es no levantar el talón de manera consciente. Manténgalo en el suelo y deje que se levante de forma natural al hacer el giro hacia atrás.

Creo que la razón por la que Jack Nicklaus controla tan bien el palo en lo alto del *swing* es porque deja elevarse al talón izquierdo y eso le permite completar el giro. Él no necesita dejar suelto el palo para completar la subida.

Ben Hogan nunca se preocupó de su talón izquierdo. Podía levantarse o no, dependiendo del *swing* que hiciera.

Shelley Mayfield empezó a hacer popular el dejar el talón en el suelo a mediados de los años cincuenta, cuando comenzó a ganar torneos en el circuito. Shelley, que luego fue el profesional de Brook Hollow, en Dallas, me dijo una vez que él no dejaba el talón izquierdo en el suelo a propósito. Sólo era su estilo individual natural.

A menudo, la gente imita el *swing* de un gran jugador; escogen una particularidad y la copian. Imitarán el denominado *flying elbow* ("codo volador") de Nicklaus o la colocación abierta de Lee Trevino.

Shelley me dijo que a veces le gustaría que su talón izquierdo se hubiera levantado del suelo en la subida, pero que, sencillamente, no lo hacía.

En mi opinión, el golfista que mantiene el talón izquierdo en el suelo durante el *swing* limita sus posibilidades de éxito.

Retroceso

En una ocasión, un aficionado no hacía más que pedir a Tommy Armour que le enseñara a hacer *"backspin"*, o efecto de retroceso, en sus golpes con los hierros.

La respuesta obvia es que si uno golpea la bola con solidez, el ángulo de la cara del palo dará efecto de retroceso. Pero ésa era una respuesta demasiado sencilla. Este aficionado estaba seguro de que Tommy debía conocer algún secreto para que un buen golpe con un hierro medio hiciera aterrizar la bola en el *green* y ésta rodara luego hacia atrás.

Finalmente, Tommy le dijo: "Déjeme preguntarle algo. Cuando usted juega un golpe de unos 125 metros, más o menos, a *green,* ¿llega normalmente más allá de la bandera o se queda corto?"

—Casi siempre corto –respondió el principiante jugador.

—Entonces, ¿para qué quiere el efecto de retroceso? –le replicó Tommy.

Palos pesados

Cualquier jugador, desde el joven adulto al ciudadano maduro –pero no los niños–, debería tener un palo de entrenamiento pesado, de unos 625 gramos, al menos.

Hacer el *swing* con un palo pesado, con la colocación y la empuñadura normales, es el mejor ejercicio que conozco para los músculos del golf. Otros ejercicios, como comprimir una pelota de tenis y otros similares, pueden estar bien, pero me preocuparía que se desarrollaran los músculos erróneos. En el golf no hacen falta músculos que levanten pesas. Necesitamos músculos que puedan chasquear un látigo o... jugar al golf.

Haga *swings* con el palo pesado la noche antes de jugar un recorrido, no antes de salir a jugar; guarde sus fuerzas para el campo de golf. Pero no haga *swings* con tanta fuerza que se pueda llegar a hacer daño. Si no puede salir al aire libre a practicar, hágalo dentro de casa, a cámara lenta. Un *swing* a cámara lenta desarrolla los músculos de golf, implanta en el cerebro las posiciones correctas del palo y... no destrozará la lámpara.

Cada vez que haga el *swing* con el palo pesado, a cámara lenta o moderadamente deprisa, apunte con el palo a un punto determinado. Adquiera este buen hábito mientras desarrolla sus músculos de golf.

Consejos sobre mantenimiento del campo

El doctor Alister MacKenzie, un reconocido arquitecto escocés que diseñó Augusta National y Cypress Point en este país (en los Estados Unidos), escribió hace muchos años un artículo denominado "Consejos sobre mantenimiento del campo", que conservo pegado a la pared de nuestra tienda, en el club.

Lo que dice constituye un consejo eterno, y por eso lo cito aquí:

• La cantidad de daño que producen los conejos es infinitesimal comparado con el bien que hacen. Mantienen la tierra removida y crean la mejor hierba para el golf, libre de malas hierbas y de gusanos.

• Recuerda que el golf es un juego, y que ningún jugador se divierte buscando bolas perdidas.

- Corta las calles y los *greens* siguiendo las curvas irregulares de la naturaleza, y no en líneas rectas.
- No retires la hierba segada. Formará una espesa alfombra que ayudará a que las raíces se hagan gruesas y fuertes, y las hojas crezcan bien y en abundancia. (Este consejo ha cambiado desde los días de MacKenzie, porque al hacerse esto se potencian las enfermedades en los *greens*.)
- El coste de un buen consejo es muy pequeño comparado con la cantidad de dinero que frecuentemente se gasta sin él.
- Nunca te dejes aconsejar por un jardinero o un experto en agricultura, a menos que haya estudiado los requisitos especiales del golf.
- En agricultura, las hierbas requieren un suelo alcalino, mientras que para el golf necesitan un terreno ácido.
- Los fertilizantes alcalinos crean ricas hierbas agrícolas, margaritas, llantén y gusanos.
- Ten cuidado de no abonar demasiado. La vegetación más adecuada para el golf se encuentra en suelos pobres, agrios y arenosos.
- La causa más frecuente de malos *greens* y calles embarradas son los gusanos. Deben ser erradicados.
- Nunca sigas el consejo de un golfista por muy buen jugador que sea, a menos que tenga suficiente amplitud de miras para reconocer que un nivel exigente en el diseño mejora el juego de todos, y que no sólo hay que tener en cuenta al principiante.
- La construcción de campos de golf es un arte difícil, como la escultura. Esfuérzate en que cada característica del campo sea indistinguible de una característica natural.
- La mayoría de los campos tienen demasiados *bunkers*. Deberían construirse desde un punto de vista estratégico, y no sancionador.

- A menudo, los hoyos que se critican mucho suelen mejorar el promedio de juego y, a la larga, se convierten en los más populares.
- Nunca destruyas las ondulaciones, los obstáculos ni otras características que, a primera vista, parezcan ser injustas. Su destrucción puede restar valor a la estrategia, al interés y a la emoción del juego.
- Nunca cambies un hoyo, a menos que estés convencido de que el cambio aumentará la emoción y el disfrute de poder superar dificultades.
- Los mejores campos de golf son aquellos cuyos hoyos han sido diseñados y construidos para adaptarse al carácter del terreno de que uno dispone.

Engatillar las muñecas

Yo prefiero el *swing* en el que las muñecas se engatillan del todo y pronto. Pero no me gusta usar la expresión "engatillar las muñecas", porque muchos alumnos se hechizan tanto con hacerlo bien que se olvidan del resto del *swing*.

Una buena forma de confundir a un alumno es decirle que engatille las muñecas. Las mujeres, especialmente, intentan engatillar las muñecas en lo alto del *swing* y sólo consiguen hacer un *swing* demasiado amplio con el que pierden energía.

Cuando lleve el palo hacia atrás, hasta la altura de las caderas –con la varilla paralela al suelo–, la punta del palo debe estar apuntando directamente hacia el cielo.

Si es así, sus muñecas estarán engatilladas y ya no necésita pensar más en ello. Continúe subiendo los brazos y complete el giro.

Para hacerse una imagen clara de cómo se engatillan las muñecas, quiebre lateralmente y hacia adentro la mano izquierda, formando un puño. Esto es un engatillamiento automático de la muñeca. Haga un *swing* con el puño izquierdo y, en seguida, verá en qué posición está el palo en lo alto del *swing* cuando se engatillan las muñecas; ahora tire del puño hacia abajo, desengatille las muñecas, y engatíllelas de nuevo al terminar el *swing*.

Hágalo delante de un espejo de cuerpo entero y observe su puño todo el tiempo. El engatillamiento de las muñecas dejará de ser una fuente de confusión.

Haga un golpe de aproximación completo

Raras veces consigue el golfista aficionado pasarse de la bandera al jugar su golpe de aproximación por alto, o *approach*.

Algunos profesores recomiendan al aficionado que utilice un palo más para los golpes de aproximación. En otras palabras, dicen que si está usted a 126 metros y cree que el golpe requiere un hierro 7, escoja en su lugar un 6 y dé un golpe más suave.

Yo no comparto esta idea. Preferiría que cogiera el

hierro 7 y lo golpease más fuerte, con la idea en mente de que va a hacer volar la bola hasta el hoyo.

Cuando uno coge un palo más cerrado e intenta pegarlo suave, sus músculos le dirán involuntariamente que está utilizando el palo equivocado, y es muy probable que se acobarde y frene el golpe. Si de todas formas escoge jugar el palo más cerrado, cójalo dos centímetros más corto y golpee con fuerza. A mí me gusta ver al golfista golpear a la bola con fuerza, siempre y cuando no haga el *swing* con tanta furia que pierda el ritmo y el equilibrio.

Cuando Jimmy Thompson estaba considerado como el mayor pegador en el circuito, le gustaba venir a verme para que le aconsejara, porque sabía que yo era el profesor que no le diría que no pegara con tanta fuerza. Pero sí aconsejo a todos que jueguen siempre dentro de sus posibilidades.

La principal razón por la que se quedan cortos tantos golpes de aproximación es porque cuatro de cada cinco están golpeados fuera del centro de la cara del palo.

Bunkers fáciles

El juego de *bunker* continúa amedrentando a la mayoría de los golfistas aficionados, pero en mi opinión se ha vuelto demasiado fácil para el jugador profesional.

Los profesionales del circuito apuntan incluso hacia los *bunkers* junto al *green*, porque tienen mucha habilidad para sacar la bola con el *blaster* y dejarla cerca del hoyo. A pesar de eso siguen protestando por la calidad de la arena de los *bunkers*; la quieren de la textura ideal para que sea aún más fácil, si cabe, sacar la bola.

Excepto en los casos de *bunkers* extraordinariamente profundos, o cuando la bola queda mal colocada, el jugador profesional prefiere jugar hacia el hoyo un sencillo (para él) golpe de *bunker* a tener que hacerlo desde la hierba alta que rodea la mayoría de los *greens*. Y ésta no era la intención original al colocar *bunkers* junto a los *greens*. Un *bunker* era, en principio, un obstáculo que debía evitarse.

Un socio del Houston Country Club, un tal Edwin MacClain, inventó y patentó en 1928 el primer *sand wedge*. Bobby Jones utilizó un *sand wedge* de MacClain en el Open Británico de 1930 y Horton Smith llevaba siempre uno. Pero, en 1931, el *sand wedge* de MacClain fue declarado ilegal porque su cara era cóncava, como una cuchara sopera. Las fotografías demostraron que el jugador podía golpear a la bola dos veces con este *wedge*, una con la parte de abajo y otra con la parte de arriba.

Gene Sarazen inventó entonces su *sand wedge* en 1932, que inmediatamente tuvo un gran éxito a pesar de que incluso con ese *sand wedge* los *bunkers* no eran ninguna bicoca, porque su arena era muy irregular. Pero, poco a poco, los *bunkers* comenzaron a ganar consistencia y los profesionales les perdieron todo el miedo.

Hoy en día existe el sentimiento frecuente de que el material de alta tecnología, la bola perfeccionada y el poderoso *swing* de los actuales profesionales del circuito están haciendo obsoletos muchos de nuestros mejores campos de golf. Yo sugiero que les devolvamos la dificultad y que, de nuevo, convirtamos los *bunkers* de alrededor de los *greens* en lugares que los profesionales del circuito deban rehuir. Por ejemplo, podríamos dejar de alisar la superficie de la arena; o podríamos no rastrillarla en absoluto, o hacerlo en surcos. De esa forma no volvería a escuchar a mi viejo amigo de Texas, y antiguo campeón del PGA *Championship*, Dave Marr comentar en televisión: "Freddie ha jugado inteligentemente; ha elegido jugar hacia el *bunker* en lugar de arriesgarse a caer en este *green* tan rápido, desde donde la bola podía haber rodado hasta el borde del *rough grass.*"

Esto nunca sucederá, por supuesto. Los profesionales del circuito y los socios de los clubes no lo tolerarían. Pero instantáneamente haría más difíciles nuestros viejos campos, al penalizar el golpe que no se quede en el *green*.

En Pine Valley, que supongo que es el mejor campo del mundo, no rastrillan la mayoría de los *bunkers* junto a las calles, pero sí alisan los de alrededor de los *greens*. Pine Valley es lo suficientemente duro para los aficionados que juegan allí, incluso con los *bunkers* alisados.

Pero allí nunca celebran campeonatos profesionales. Tal vez sea porque los profesionales del circuito, con su talento y su juego de *bunker*, podrían avergonzar incluso a todo un símbolo como Pine Valley.

El juego de *bunker*

Practique su juego de *bunker* con la idea de volverse más agresivo con él. No lo contemple como un castigo a sus errores. Si lo practica y aprende unos cuantos fundamentos, descubrirá que jugar una bola desde un *bunker* junto a un *green* no es difícil, ni siquiera para el golfista aficionado.

Primero, coja el *sand wedge* por la parte alta de la empuñadura, tal y como haría en un golpe normal. Esto le estimulará a hacer un *swing* completo llegando hasta una posición final alta, sin frenar el golpe cuando el palo golpee la arena.

Empúñelo con fuerza sólo con los dedos meñique y anular de la mano izquierda para que el palo no se gire y se "cierre" en la arena.

Colóquese a la bola de manera que la varilla apunte a la cremallera de su pantalón y las manos queden ligeramente adelantadas respecto de la bola. Apunte con su cuerpo paralelo a la línea de tiro y abra la cara del palo de forma que apunte a la derecha del objetivo.

A continuación, "abra" su colocación moviendo el pie izquierdo hacia atrás; deje que las caderas y los hombros se giren en consonancia, de manera que ahora su cuerpo apunte a la izquierda del objetivo y la cara del palo apunte directamente a él.

Cargue el peso un poco más sobre el pie izquierdo que sobre el derecho.

Ahora haga el *swing* con normalidad siguiendo la línea de sus hombros y su cuerpo. Golpee en la arena ocho o diez centímetros por detrás de la bola y recorte la arena por debajo de ella. La bola se elevará y aterrizará en el *green* entre una lluvia de arena.

Practique este golpe unas cuantas horas y verá lo que quiero decir con "volverse más agresivo". No necesitará volver a preocuparse por salir del *bunker* como sea, sino que empezará a intentar dejar la bola al lado de la bandera.

Cuanto más larga sea la distancia hasta la bandera, más cerca de la bola deberá golpear en la arena. Cuanto más corto sea el golpe, más arena deberá coger.

No se relaje

Seguro que estas palabras las escucharán con frecuencia en el campo de prácticas o en el recorrido del campo: "Relájate, relájate, relájate."

Yo he llegado incluso a oír a un jugador que pretendía ayudar a su compañero decirle: "Intenta relajarte con fuerza." Naturalmente, si usted intenta relajarse con mucha fuerza, o bien se pondrá muy tenso o tan débil que se desplomará en la hierba y se quedará medio dormido. Ninguno de esos dos estados es favorable a la hora de jugar un golpe de golf.

Hay que evitar que la tensión invada los músculos, por supuesto, y no dejar que el miedo se adueñe de nuestro corazón. Pero yo prefiero decirlo de esta manera:

"Siéntete a gusto."

Si uno se siente a gusto estará relajado, pero dispuesto. El secreto es alcanzar la sensación de "violencia controlada" a la que se solía referir Jackie Burke, Jr.

El pensamiento positivo

Cuando doy clase nunca digo "nunca", y no digo "no" siempre que puedo evitarlo.

En este libro utilizo con bastante frecuencia las palabras "nunca" y "no", pero es porque el lector tiene tiempo para reflexionar sobre lo que intento comunicar. Pero nunca diría "nunca" y no diría "no" a un alumno que, en el campo de prácticas, con un palo en la mano y la necesidad de aprender, está sometido a la presión de ser observado. Procuro decir todo en términos positivos y constructivos. Jack Burke, Sr., lo expresaba diciendo: "Concédete el beneficio de la duda". Pero incluso esa frase contiene la peligrosa palabra "duda."

Profundizaré más en este punto en el capítulo dedicado a cómo enseñar, pero lo que intento expresar aquí es que los pensamientos negativos son puro veneno cuando se está dando un golpe de golf. Podría haber denominado a este capítulo "No a los pensamientos negativos", pero incluso así podría generar un pensamiento negativo en la mente del golfista.

Lo que quiero que ustedes crean con todo su corazón es que el golpe que van a jugar va a salir bien. Quiero que su confianza sea absoluta. Esto le puede sonar ridículo al jugador que no baja de 100 golpes, pero incluso a él se le puede ayudar mucho a través del pensamiento positivo. La clave está en la diferencia entre confianza y optimismo. La confianza consiste en haber jugado este golpe con éxito muchas veces en el pasado, y en saber que uno es capaz de repetirlo de nuevo. Cualquiera que haga 85 golpes habrá jugado con éxito muchas veces casi cualquier golpe posible. Sabe que tiene la habilidad para repetirlo. Optimismo sería si nunca hubiera jugado con éxito el golpe y esperara que ésta fuera la primera vez. Es imprescindible un cierto entrenamiento sobre el cual basar los pensamientos positivos para que éstos puedan producir una sensación de confianza.

La indecisión mata. Por ejemplo, cuando usted saca el hierro 5 de la bolsa y graba en su mente el objetivo, y se coloca a la bola, debe creer firmemente que se trata del palo adecuado para ejecutar ese golpe. A partir de ahí sólo le queda hacer su mejor *swing*. Si luego resulta que el hierro 5 no era el palo adecuado, pero golpea a la bola con solidez, habrá fallado por sólo diez metros. Pero si no consigue aclararse sobre si el golpe requiere un hierro 4, 5 ó 6, y escoge el 5 por compromiso, y todavía no está seguro cuando se coloca a la bola, le daría lo mismo marcharse a hacer otra cosa.

Dentro de la mente del golfista aficionado suelen sonar muchas voces distintas. Él, o ella, piensa en el último consejo sobre el *swing* que ha oído en la terraza; se pregunta si el palo sube demasiado por dentro o por fuera; qué truco sobre el *swing* podría funcionar en determinado momento; y, probablemente, también esté preocupado por si su hijo echó gasolina al coche o no. El golfista debe aprender a silenciar todas estas voces.

El *swing* de golf sucede ahora mismo, no en el pasado ni en el futuro. Piense positivamente y, como solía decir mi hermano mayor Tom, profesional del Campo Municipal de Austin durante muchos años: "Olvídate de todo y pega a la bola."

Psicología

Un periodista deportivo vino un día a la ciudad para entrevistar a Tom Kite en el Austin Country Club. Sandra Palmer y yo rondábamos por allí, escuchando en cierto modo la entrevista. En un momento determinado el periodista se giró hacia mí y me dijo: "Harvey, creo que eres casi un psiquiatra en lo que respecta al golf."

—Yo no sé nada sobre eso –le respondí–. Sólo soy un ex-*caddie* que todavía estudia este juego.

—Tú utilizaste la psicología conmigo esta mañana, –dijo Tommy.

—¿Cuándo fue eso? –pregunté.

—Cuando te pedí que me ayudaras con mi "pat" –contestó–. Me preguntaste si había cambiado algo desde la última vez que me habías visto. Te dije que sí, que había empezado a *choke down on it,* a coger el palo más corto.

—Tommy, no utilices esa palabra –le dije–. Nunca debes utilizar la palabra *choke*[21] en relación con tu juego del golf. No pienses en *choking down* el "pat". Piensa en "empuñarlo más corto".

—Eso es lo que me dijiste esta mañana –dijo–. Y eso es psicología, ¿no?

Yo siempre me sentía incómodo cuando Jimmy De-

---

[21] En sentido familiar, ahogarse, acobardarse. *(N. del T.)*

maret hablaba de su *choke stroke,* o golpe de cobarde. Lo que Jimmy quería decir era que tenía en su repertorio un tipo de *swing* en el que confiaba y al que recurría cuando se encontraba bajo una presión muy intensa. Con este *swing* no hacía ninguna filigrana, ni golpeaba la bola tan lejos como con un *swing* normal, pero le resultaba fácil de repetir y con él ponía la bola siempre en alguna parte de la calle o del *green.*

Tal vez debería haberlo llamado *no-choke stroke,* o golpe para no ahogarse. Pero tampoco me habría gustado, porque todavía tenía la peligrosa palabra *choke,* y además la palabra "no".

El área que el cerebro dedica al golf es frágil y terriblemente susceptible a la sugestión. Los golfistas son crédulos. Por eso suelo aconsejar a mis alumnos que salgan a cenar con buenos pateadores. Todos hemos jugado con gente que intenta sugestionarnos para que perdamos; se plantan en el *green* con expresión inocente y dicen: "Caramba, fíjate lo cerca que está esa valla de 'fuera de límites' de la izquierda. Espero no tirarla por ahí encima." O "ese cambio que has hecho en tu subida es muy interesante, Harvey". Creo que lo mejor que he oído nunca fue cuando alguien preguntó a otro: "¿Tú inspiras o espiras cuando subes el palo?"

A este tipo de expresiones las solemos llamar "la aguja". La aguja molesta pocas veces al jugador experto, porque sabe que quien la utiliza con ellos suele hacerlo por sentirse inseguro y busca así algún tipo de ventaja.

Yo creo que jugando al golf se aprende a practicar una forma de meditación. Durante las cuatro horas que pasas en el campo aprendes a concentrarte en el juego y a despejar la mente de pensamientos preocupantes. Yo no sé nada de psicología, pero creo que tal vez el golf haya mantenido a más gente sana que los psiquiatras.

Quedarse detrás de la bola

Nadie podrá mostrarme a un campeón de golf que no mueva la cabeza durante el *swing*. Sam Snead era quien más cerca ha podido estar de conseguirlo, pero también él la movía. Todos los grandes jugadores mueven la cabeza ligeramente hacia atrás, antes y durante el impacto; pero nunca hacia adelante.

Los mejores bateadores de béisbol hacen lo mismo. Al ver a Hank Aaron[22] golpear a la bola y lanzarla por encima del marcador del estadio la gente solía utilizar la expresión: "Sí que se ha quedado detrás en ese golpe." Un golfista también debe quedarse detrás de la bola. Byron Nelson retrasaba la posición de su cabeza casi treinta centímetros cuando atacaba a la bola.

No se podría ni tan siquiera matar una mosca con un matamoscas si, al atacarla, moviéramos la cabeza hacia adelante. Para conseguir potencia con un matamoscas hay que mantener la cabeza quieta o, si acaso, tirar de ella hacia atrás.

Pero antes de poder quedarse detrás de la bola es preciso colocar la cabeza detrás de ella. Lo que quiero decir es que se coloquen con la cabeza por detrás de la bola y la mantengan siempre por detrás. Si durante la bajada, o en el momento del impacto, mueven la cabeza hacia adelante,

---

[22] El jugador que ha conseguido un número mayor de *home-runs* (carreras) en la historia del béisbol. *(N. del T.)*

darán un golpe débil y feo; seguramente, la bola saldría hacia la izquierda y se abriría luego mucho hacia la derecha.

Uno de mis alumnos me contó una vez el recorrido que había jugado con Lee Trevino. En el *tee* del hoyo 2, un par tres, mi alumno dio lo que creyó que era un buen golpe, unos diez metros corto de la bandera. Entonces Trevino se sacó una bola del bolsillo y la dejó caer delante de mi alumno.

—Colócala en un *tee* y juega otra vez, pero ahora sin mover la cabeza hacia adelante –le dijo Trevino.

—Lee, me he pasado toda la vida intentando no desplazar la cabeza hacia adelante –dijo el alumno–. ¿Cómo puedo hacerlo?

—Lee mis labios –contestó Trevino–: N-O D-E-S-P-L-A-C-E-S L-A C-A-B-E-Z-A H-A-C-I-A A-D-E-L-A-N-T-E. Cada vez que juegues un golpe hoy quiero que pienses "Lee me está mirando y pidiéndome que le lea los labios".

Mi alumno quedó muy impresionado. Hizo otro *swing*, esta vez sin desplazar la cabeza hacia adelante, y el golpe sonó con un crujido autoritario. La bola trazó un ligero *draw*, de derecha a izquierda, cayó a tres metros pasada la bandera y retrocedió.

—Acabo de crear un monstruo –dijo Lee.

El alumno terminó los primeros nueve hoyos en uno bajo par. Camino del hoyo 10, Lee le dijo: "Me tengo que marchar, Frankenstein. No olvides lo que te he dicho."

—¿Qué sucedió a continuación? –le pregunté yo.

—Al llegar al hoyo 14 mi cabeza se estaba desplazando hacia adelante otra vez –reconoció–. Hice mis 41 golpes de siempre en la segunda mitad.

Tal vez fue la palabra "no" la que hizo que la sugestión no durara demasiado. Una forma positiva de exponerlo es: *Quédese detrás de la bola.*

Golpear desde arriba

El error más frecuente en el golf recibe una docena de nombres diferentes en todo el mundo. En Inglaterra se le llama *casting,* que es un buen nombre porque el movimiento que se hace con el brazo y la mano derecha es similar al de lanzar el anzuelo con una caña de pescar.

Mi amigo Darrell Royal, el primer entrenador de los equipos de fútbol americano en la Universidad de Texas y excelente jugador de golf, tiene un nombre muy pintoresco para el error al que me refiero. Lo llama OTTFIG, cuya traducción significa: *Over The Top, Forget It.* (Desde arriba, olvídate.) Yo denomino a este error "golpear desde arriba".

"Golpear desde arriba" es lo que sucede cuando llegas a lo alto del *swing* y comienzas la bajada lanzando tus manos hacia la bola. Muchos golfistas se pasan toda la vida golpeando desde arriba, e incluso algunos han conseguido jugar bien a pesar de este defecto. Hay jugadores en el circuito profesional que, durante la bajada, llegan a colocarse en una posición "por fuera"[23] de la bola, que es casi lo mismo que golpear desde arriba. Pero sólo porque algunos jugadores tengan la capacidad atlética para hacer este movimiento y salir impunes, no

---

[23] Su primer movimiento desde lo alto del *swing* es tal que obligan a que la trayectoria de ataque del palo sobre la bola atraviese la línea de tiro de fuera adentro. *(N. del T.)*

significa que sea menos desastroso para el jugador aficionado.

Nadie ha encontrado todavía una cura instantánea para esta "enfermedad". Practicar mucho los fundamentos básicos puede ser una gran ayuda, por supuesto, pero no es la respuesta que busca el alumno que viene por primera vez a pedir consejo a un profesor. Para aconsejarle bien, conviene conocer las causas que provocan el golpe desde arriba:

- Una empuñadura demasiado "débil", especialmente en la mano izquierda.
- Mal uso de los antebrazos; es decir, no utilizarlos para guiar la trayectoria correcta del palo al inicio de la subida y en el impacto, dejando que las muñecas hagan todo el trabajo.
- Apuntar a la derecha.
- La cara del palo demasiado abierta en la colocación.
- Tener la pierna izquierda rígida en el impacto. He notado que los jugadores menos proclives a golpear desde arriba mantienen las rodillas ligeramente flexionadas al pasar por la zona de impacto. Aquella teoría tan común de pedir al alumno que golpeara "contra su lado izquierdo rígido"[24] tiende a hacer que el jugador inicie la bajada del *swing* por fuera de la bola, enderezando la pierna izquierda y lanzando el palo por encima de la trayectoria correcta del *swing*. (Para demostrar este punto, haga un *swing* a cámara lenta, manteniendo las rodillas ligeramente flexionadas hasta después de golpear la bola. Compruebe cómo el palo se mantiene por dentro. Haga otro *swing* a cámara lenta, estirando esta vez la pierna izquierda

---

[24] Con la sensación de que sólo se mueve el lado derecho del cuerpo, como si el izquierdo estuviera bloqueado. *(N. del T.)*

cuando el palo llegue a mitad de camino en la bajada. Comprobará que la parte superior del cuerpo se lanza hacia afuera y por encima de la bola.)

Pero la pregunta a la que se enfrenta constantemente el profesor es cómo persuadir al alumno para que deje de golpear desde arriba, sin volverse demasiado técnico ni ofreciendo más consejos que los que pueden ser absorbidos en una clase. Yo conozco cinco formas que me han resultado eficaces.

La primera y más simple es pedir al alumno que intente pegar a la bola con la punta del palo durante un rato. Este remedio suele curar el problema con una sola "aspirina".

Otro remedio sencillo es colocar dos bolas en el suelo, alineadas hacia el jugador y separadas unos cinco centímetros, y pedir al alumno que golpee la de dentro sin tocar la de fuera.

Un tercer método, aún más simple, consiste en sostener una varilla unos treinta centímetros por encima de la bola, marcando la línea de tiro, y pedirle que pase el palo por debajo de ella.

El cuarto remedio, el más drástico y elemental, es enseñar al alumno a hacer *hook*. En este caso hay que darle una empuñadura "fuerte", girándole ambas manos hacia la derecha de forma exagerada. A continuación diga al alumno que haga su *swing* y que "hooquee" la bola fuera del campo de prácticas. No importa si es un *hook* "pulleado" o un *hook* enorme y salvaje, mientras sea un *hook*. Pídale que gire el antebrazo izquierdo hacia la derecha al subir el palo o, mejor aún, que gire el brazo izquierdo entero para, así, abrir la cara del palo en la subida. Luego deberá bajar el palo rotando el brazo izquierdo hacia la izquierda –la mano derecha se involucra automáticamente– y cerrando la cara del palo con fuerza en el impacto. Este procedimiento origina algunos de los golpes más parecidos a un garfio y divertidos que yo haya visto nunca. Pero para hacer estos "garfios", el alumno tiene que llegar a la bola por dentro de la línea de tiro.

Una vez que el alumno aprende a crear *hooks* a su voluntad habrá dejado, normalmente, de golpear desde arriba. El problema ahora se convierte en curar el *hook*. Pero esto ya es más fácil.

El quinto método es un ejercicio a cámara lenta, y es un ejercicio tan importante que prefiero tratarlo aparte y explicarlo en un solo bloque.

En una ocasión hice una demostración de estos métodos en una conferencia de la Asociación de Profesionales de Golf PGA, utilizando como conejillo de indias a una camarera que nunca había jugado al golf. Cuando llegamos al método de enseñar a hacer *hook*, la camarera se giró:

—Señor Penick –protestó–. Yo no quiero ser ninguna *hooker* (en sentido peyorativo, en inglés, puta).

Hipnosis

En otra ocasión, durante un curso de la PGA en California, me encontraba intentando ayudar a un buen jugador que había empezado a hacer *slice*. Unos cuarenta profesores nos estaban observando.

Después de hacer una pequeña corrección en su empuñadura, dije en voz alta: "Este chico tiene un *swing* tan bueno que podría golpear a la bola incluso con los ojos cerrados." Así que pedí a mi alumno que hiciera un par de *swings* de práctica sin bola, sólo concentrándose en arrancar el *tee* del suelo. A continuación puse una bola sobre el *tee*.

—Ahora cierra los ojos y haz ese mismo buen *swing* –le dije.

El chico dio el golpe más bonito que se haya visto nunca, con un ligero efecto de *hook* al final.

—Ya sé cómo lo has hecho, Harvey –dijo uno de los profesores–. Le has hipnotizado.

El ejercicio a cámara lenta

Mi ejercicio del *swing* a cámara lenta se puede realizar en casa. Requiere mucha paciencia y muchas repeticiones, pero todo el tiempo que le dedique tendrá su recompensa en el campo de golf. Si hay un ejercicio que vale para todo, que sea bueno para cualquier "enfermedad" de su *swing*, éste es probablemente el mejor. Se puede hacer bajo techo, así que puede practicarlo en invierno o por la noche. Mickey Wright lo hacía a menudo.

Cuando digo a cámara lenta quiero decir a *cámara realmente lenta,* muy lenta. Si cree que ya lo está haciendo a cámara lenta, hágalo aún más despacio.

Suba el palo muy despacio hasta lo alto del *swing,* manteniendo siempre la vista sobre la brizna de hierba o el dibujo de la alfombra que representa la bola de golf. (Si mira cómo sube la cabeza del palo, caerá en un hábito terrible que podría arrastrar luego al campo.)

Al llegar a lo alto de la subida, vuelva a colocar sólidamente el talón izquierdo en el suelo y, al mismo tiempo, acerque el codo derecho hacia el costado. Muy, muy despacio.

Baje el palo extremadamente despacio hasta un tercio del camino hacia la bola. Ahora deténgase por un momento, manteniendo y notando la postura.

Comience de nuevo *desde esa postura:* suba despacio hasta arriba, cargue el peso en el talón izquierdo, acerque el codo hacia el cuerpo, y deténgase a un tercio del camino hacia la bola. Haga esto cuatro veces seguidas. No se impaciente ni acelere. La clave es hacerlo muy despacio.

Después de repetirlo cuatro veces, continúe hacia abajo y complete el *swing* –todavía a cámara muy lenta– hasta terminar en alto, con los codos delante del cuerpo mientras levanta la cabeza despacio, como observando un buen golpe. Mantenga la postura. Siéntala.

Ahora repítalo todo otra vez, y otra vez, y otra vez...

Su cerebro de golfista y sus músculos están aprendiendo a iniciar la bajada del *swing,* plantando el peso y moviendo la parte inferior del cuerpo hacia la izquierda. Y la aproximación a la bola la hacemos viniendo por dentro, correctamente, con las manos aún engatilladas y marcando el camino que debe seguir el palo.

Su cerebro de golf y sus músculos aprenderán tanto repitiendo el *swing* a cámara lenta como agotándose dando bolas en el campo de prácticas. Pero éste es un aprendizaje de mayor calidad porque en el *swing* a cámara lenta no se cometen errores.

Espolvorear la bola

Muchos golfistas no saben qué parte de la cara del palo es la que golpea la bola, ya sea en un golpe de "pat", con un hierro o con la madera 1. Y es muy sencillo de averiguar.

Lleve consigo un bote de polvos de talco al campo de prácticas o al *putting-green*. Espolvoree la bola y golpéela. Luego observe la cara del palo.

Inmediatamente obtendrá la respuesta.

La posición de la bola

La posición de la bola es lo más importante después de la empuñadura.

Los errores en la empuñadura y en la posición de la bola son errores que se cometen antes del *swing* y que pueden arruinar cualquier gran proyecto que usted tenga para el golpe.

Muchos profesores enseñan que la bola debe jugarse frente al talón izquierdo en todos los golpes. Yo no estoy de acuerdo. Los buenos jugadores sí pueden hacerlo, siempre que la bola esté bien colocada sobre la hierba. Pero si usted juega un hierro 9 con la bola frente al talón izquierdo, va a tener que hacer un giro de caderas terriblemente rápido para golpear a la bola antes de que el palo alcance su punto más bajo en el *swing*.

Los únicos golpes que debemos jugar con la bola frente al talón izquierdo son los de *drive* y madera 3 con la bola sobre un *tee*. En estos casos, lo ideal es golpear a la bola en el punto más bajo del *swing* o justo cuando el palo empieza a subir hacia adelante.

Con el resto de los palos debemos retrasar la bola un centímetro cada vez hasta tenerla colocada frente al centro entre nuestros pies, que es donde le corresponde al hierro 9. Si tiene usted dudas respecto adónde debe colocarse con un palo determinado, haga un par de *swings* de prácticas y compruebe dónde cepilla la hierba con la cabeza del palo. Otro método es apoyar el palo con naturalidad sobre la hierba, con la cara perpendicular al objetivo; así verá desde dónde pensaba el fabricante que debía jugarse el palo.

Haga el *swing* con un cubo

Para iniciar el *swing* es necesario un impulso de algún tipo. En mi caso, al colocarme a la bola me gusta imaginar que estoy sujetando un cubo de agua con las dos manos.

Si fuera a hacer un *swing* de golf con este cubo, instintivamente lo iniciaría empujando el cubo ligeramente hacia adelante con mis manos, caderas, hombros y rodillas, para provocar la inercia necesaria que me permita cambiar el peso y subirlo hacia atrás con menor esfuerzo.

Mis manos seguirán el giro del tronco hacia atrás al mismo tiempo que suben el cubo, y el talón izquierdo se levantará. Si cogiera el cubo con fuerza, giraría deprisa. Si lo sujetara con suavidad, mi giro sería más lento y suelto. Aplique esto a la forma en que usted sujeta el palo.

Para volver a bajar el cubo no tiraría de él hacia abajo con las manos. Antes cambiaría el peso hacia el pie izquierdo y desgiraría las caderas, dejando la cabeza por detrás del cubo mientras lo llevo hacia abajo y hacia adelante con naturalidad.

Es fácil imaginar la liberación de la potencia del *swing* cuando el cubo llegue al final del *follow-through* y el agua salga despedida.

Chuck Cook, un profesor al que respeto mucho, sugiere, ampliando la idea de hacer el *swing* con un cubo, que si ustedes le piden a sus músculos que desparramen el agua hacia la izquierda al terminar, golpearán a la bola con *hook* o con *draw*, y si tratan de desparramarla hacia la derecha golpearán con *fade*.

La imagen de hacer el *swing* con un cubo de agua resulta especialmente útil para captar la idea de ese impulso hacia adelante con el que iniciar el *swing*.

Pero recuerde: no se exceda. Tome los consejos sorbo a sorbo, y no a grandes tragos.

La guadaña

De entre los miles de trucos que he conocido para entrenar el *swing*, el mejor es uno que se puede comprar en la ferretería si es que no lo tienen ya en su garaje o en el cobertizo. Se trata de una pequeña guadaña.

Hace muchos años, Victor East, el genio que dio origen a los palos Spalding, me envió seis guadañas a mí y otras seis a Wild Bill Mehlhorn, que daba clases en un club de Florida. Pocas semanas más tarde, Mehlhorn devolvió las guadañas a Victor con una nota que decía: "Estas cosas me están arruinando el negocio. Los alumnos que las usan no me necesitan nunca más."

La acción que se realiza segando dientes de león con la guadaña es exactamente la misma que realiza el palo de golf en la zona de impacto. Pero además, al ser la guadaña pesada, desarrolla los músculos de golf.

Mientras utilice la guadaña piense que le están pagando por horas, no por trabajo terminado. En otras palabras, haga el *swing* despacio y no tenga prisa.

Colocar los pies

Muchos jugadores, incluidos numerosos expertos, no comprenden la influencia de la posición de los pies en la amplitud de su *swing*.

Intente el siguiente ejercicio y compruébelo usted mismo. Adopte una colocación normal con un palo, como si fuera a hacer un *swing*. Gire hasta lo alto del *swing* con la intención de que la varilla apunte al objetivo y mírese luego en el espejo. Ahora vuelva al punto de partida pero esta vez gire su pie izquierdo hacia afuera, en dirección al objetivo, lo suficiente como para notarlo con claridad. Haga la subida como antes y mírese de nuevo en el espejo. Como verá, su subida es varios centímetros más corta.

Vuelva a adoptar su primera postura de partida, pero esta vez coloque el pie derecho perpendicular a la línea de tiro o incluso girado un poco hacia el objetivo. Haga de nuevo la subida y comprobará que ésta vuelve a ser varios centímetros más corta.

Muchos jugadores principiantes se colocan con el pie izquierdo muy abierto hacia afuera y con el pie derecho perpendicular, o incluso girado hacia adentro. Lo hacen porque creen que los profesionales se colocan así, pero es una combinación que acorta la subida dramáticamente y no pasa mucho tiempo antes de que empiecen a preguntarse qué ha pasado con el giro en su *swing*.

La posición de los pies no afecta al punto del suelo sobre el que va a apoyar el palo, pero es muy importante en la longitud del *swing*.

El giro

El giro del cuerpo hacia atrás y hacia adelante, golpeando con el palo a través de la bola, es un movimiento muy sencillo. Pero las diferentes teorías de enseñanza y la idiosincrasia de cada jugador lo han hecho parecer difícil.

Como diría Horton Smith, es como aquella canción que los niños solían cantar: "El hueso del tobillo conectado con el hueso de la rodilla, el hueso de la rodilla conectado con el hueso de la cadera, el hueso de la cadera conectado con el hueso de la espalda, el hueso de la espalda conectado con el hueso del hombro... Ahora escucha la palabra del Señor"[25].

Haga el movimiento de la siguiente manera y procure mantenerlo siempre con la mayor naturalidad posible:

• Colóquese erguido, con las rodillas ligeramente flexionadas y la vista clavada en la bola.

• Piense en la idea del *swing* con el cubo de agua para hacer ese primer impulso hacia adelante.

---

[25] *"The ankle bone connected to the knee bone, the knee bone connected to the hip bone, the hip bone connected to the back bone, the back bone connected to the shoulder bone... Now hear the word of the Lord."*

• Gire el cuerpo hacia la derecha trasladando el peso al pie derecho, y deje que el talón izquierdo se levante suavemente hasta unos dos centímetros del suelo. Es como girarse para saludar a alguien. Los brazos deben seguir subiendo hasta que la varilla esté detrás de uno y apunte al objetivo.

• Ahora deje que el peso se traslade hacia la izquierda al mismo tiempo que el codo derecho empieza a acercarse hacia el costado, y continúe girando como para saludar a alguien por su lado izquierdo.

Seguro que usted escuchará y leerá muchas instrucciones complejas sobre el giro del *swing* –como, por ejemplo, tensar el torso y los hombros contra la resistencia de las caderas–, pero no procedentes de mí.

He visto a muchos jugadores que estaban tan preocupados con su giro de caderas que se olvidaban de que el principal objetivo era mover el palo. Recuerde tan sólo que el giro es un movimiento natural del cuerpo, y que sus huesos están conectados desde el suelo hasta arriba.

Humildad instantánea

En una ocasión estaba en mi habitación de un hotel, preparando nerviosamente mis notas para una conferencia que tenía que dar pocas horas más tarde a una amplia audiencia de colegas míos de la PGA.

En un momento dado me empecé a sentir un poco impresionado conmigo mismo. Ahí estaba yo, un humilde ex-*caddie*, a punto de dar un discurso a algunos de los mejores profesores del mundo sobre cómo enseñar a jugar al golf.

"Fíjate Helen –dije a mi mujer–. De todos los grandes profesores que hay, me han elegido a mí para dar esta charla. ¿Cuántos grandes maestros crees que habrá allí?"

Mi encantadora esposa levantó la vista del libro que estaba leyendo y dijo: "No sé cuántos grandes profesores habrá allí, Harvey, pero probablemente uno menos de los que tú piensas."

Máximas

En 1943, Jack Burke, Sr., recopiló la siguiente lista de máximas de golf surgidas de conversaciones tenidas con jugadores y profesores, incluido yo mismo:

1. Las muñecas juegan una parte muy pequeña en el *swing* de golf. El cruce de los antebrazos es lo que proporciona la fuerza al golpe.
2. La cara del palo saliéndose de la línea de tiro produce más golpes malos que ninguna otra cosa que yo conozca.
3. Si el palo va hacia atrás correctamente, existen muy pocas posibilidades de dar un mal golpe. (Yo no puedo estar de acuerdo con esto. Jack enseñaba un tipo de *swing* que iba de dentro hacia afuera. Yo enseño un *swing* de dentro a perpendicular al objeti-

vo, y de nuevo hacia adentro. Lo que Jack llama "ir hacia atrás correctamente" significa diferentes cosas para diferentes personas. Y, además, se pueden cometer muchos errores iniciando el *swing* desde una posición perfecta arriba. Pero estoy de acuerdo en que si inicias la subida correctamente, estás en el buen camino. Lo correcto es iniciar la subida del palo con el giro del cuerpo.)

4. Divida la bola mentalmente en dos partes y juegue sólo la mitad más próxima a usted; a la mitad de fuera no se la debe molestar. (Ésta es una idea demasiado complicada. Limítese a golpear la bola.)

5. Aprenda a golpear la bola limpiamente, no quiera hundirla contra el suelo.

6. Imagine el golpe volando, perfecto, hasta la bandera.

7. Si mantiene la manos juntas, como un solo bloque, le sorprenderá el nivel de relajación que alcanza.

8. Piense en golpear el *tee* que está debajo de la bola. Esta idea ayuda a llevar derecho el palo y hacia adelante. (Utilizo esta idea constantemente en mis lecciones: simplemente rompa el *tee* con el *swing*.)

9. Deje que la bola se interponga en el camino del *swing* en lugar de convertirla en su objetivo.

10. No intente elevar la bola. El palo está construido con ese propósito.

11. Golpear detrás de la bola se produce por mantener el peso sobre el pie derecho durante la bajada. Si el peso está adelante, es imposible golpear detrás de la bola.

12. La razón por la que resulta difícil sacar los brazos hacia adelante es la tensión. Mantenga las manos juntas y el *follow-through* le resultará sencillo.

13. Antes de ejecutar un golpe, imagínelo tal y como le gustaría que le saliera.

14. Deje que los pies se muevan a lo largo de la línea de juego. No permita que se inmovilicen contra el suelo.
15. El *socket* se produce porque el palo viene por fuera de la línea de tiro. Ponga dos bolas en línea frente a usted separadas cinco centímetros. Si consigue golpear a la bola más próxima sin golpear a la de fuera, el *socket* estará curado. (No estoy de acuerdo con la causa y tengo otras cosas que decir sobre esto que incluyo en mis consideraciones sobre el *socket.*)
16. Ahorre algo de potencia; no la malgaste toda en hacer el *swing*. Es posible que necesite energía antes de que termine el partido.
17. Saque el palo hacia adelante en la dirección que desee que siga la bola.
18. Terminar el *swing* es muy importante. La bola que sale recta sin una buena postura final en el *swing* ha sido por pura suerte.
19. Siga un método de cualquier tipo al jugar. Cualquier método es mejor que confiar en la suerte.
20. "Topar"[26] la bola es consecuencia de cerrar la cara del palo durante la bajada. (Yo creo que se "topa" la bola más a menudo por estirar las rodillas.)
21. El *slice* se produce porque las manos van por delante de la cara del palo y no llega a estar mirando al objetivo en el momento del impacto. La tensión juega un papel muy importante en esto.
22. El jugador que haga *slice* habrá alcanzado el límite de sus posibilidades. Cuanto más fuerte pegue a la bola, más *slice* hará.
23. Si la bola está en una mala posición, intente levantarla con el golpe, no atacarla hacia abajo.

---

[26] Golpear a la bola en la parte superior de la misma. *(N. del T.)*

24. Sea honesto consigo mismo. Todo lo que usted pueda descubrir en seis meses de entrenamiento se lo puede decir su profesor en sólo cinco minutos.
25. Golpee primero a la bola y luego al suelo; así estará seguro de impactarla de lleno.
26. Deje que la cadera derecha lleve el palo hacia atrás, y que la izquierda tire de él hacia adelante.
27. Intente retrasar la acción del hombro derecho tanto tiempo como le sea posible, para dar al lado izquierdo de su cuerpo la oportunidad de pasar frente a la zona de impacto.
28. Si tiene tendencia a ponerse tenso, mantenga la cabeza del palo levantada del suelo al preparar el golpe.
29. Deje que las manos inicien la subida ligeramente antes que la cabeza del palo.

El mítico *swing* perfecto

Ésta es la manera de hacer el mítico *swing* perfecto que todos los golfistas persiguen siempre:

1. Colóquese unos cuantos pasos por detrás de la bola y observe desde ahí la línea hacia el objetivo.
2. Acérquese a la bola, adopte una buena empuñadura, coloque la cara del palo detrás de la bola perpendicular a la línea de tiro, y entonces colóquese de acuerdo con la posición del palo.

3. Haga un ligero *waggle*, vuelva a poner el palo detrás de la bola otra vez y tome un impulso hacia adelante con las manos similar al que haría si fuera a hacer un *swing* con un cubo de agua.
4. Suba el palo manteniendo los codos enfrente de su cuerpo hasta lo alto del *swing*, donde el palo estará apuntando al objetivo.
5. Devuelva el talón izquierdo al suelo y, al mismo tiempo, deje que el codo derecho retorne al costado mientras empieza a bajar el palo.
6. El peso se traslada al pie izquierdo. Los antebrazos se cruzan mientras hacen el *swing*. La cabeza se mantiene por detrás de la bola, tal vez incluso desplazándose un poco más hacia atrás.
7. Durante la extensión del cuerpo hacia adelante, el pie derecho sólo ayuda a mantener el equilibrio.
8. Termine con sus antebrazos por delante. Una buena postura final demuestra lo que ha sucedido antes. Deje que la cabeza se levante para observar el buen golpe.

Si ha perdido el equilibrio durante este mítico *swing* perfecto, puede deberse a que su empuñadura es demasiado fuerte o demasiado débil.

Practíquelo en casa, a cámara lenta, sin bola, e intente no fijarse en la cabeza del palo mientras sube hacia atrás. Siga siempre la lista anterior paso a paso. Esto incluye la obligación de aproximarse a la bola desde detrás de la línea imaginaria de tiro, incluso cuando practique sobre la alfombra. Haga entre diez y veinte míticos *swings* perfectos cada noche para inculcar a sus músculos lo que su cerebro quiere que hagan.

Si utiliza un palo de bastante peso durante este ejercicio, le resultará aún más beneficioso.

Lo primero es lo primero

Un día apareció en el Austin Club un hombre procedente de Nueva York. Dijo que había oído hablar de un tal Penick, famoso profesor.

Le dije que se trataba de mí y le pregunté qué podía hacer por él.

—Si usted es tan buen profesor –dijo–, enséñeme a salir de *bunker*.

—No tan deprisa –le respondí–. Yo le puedo enseñar a salir de *bunker*. Pero no pienso hacerlo hasta haberle enseñado en primer lugar cómo evitar caer en ellos.

El *swing* más bonito

El *swing* más bonito que he visto nunca era el de Mac-Donald Smith, un profesional que nació en Carnoustie, Escocia, y aprendió a jugar al golf allí. En 1926 ganó el Open de Texas, el Open de Dallas, el Open Metropolitan y el Open de Chicago. En aquellos días yo acariciaba aún la idea de entrar en el circuito profesional y tuve la fortuna de conocer y ver a Smith en sus mejores años.

Su *swing* era fluido y elegante. No sabría de qué otra forma describirlo. No era un *swing* que se pudiera descomponer en distintas partes, como un poema hermoso no se descompone en palabras.

Después de 1926, Smith ganó tantos torneos que fue propuesto para formar parte de la Sala de la Fama[27] de la PGA. Pero en los diez años siguientes al Open de Dallas nunca más volvió a ganar en Texas. La razón fue que llegó la "Gran Depresión" económica, y nuestros campos de Texas se regaron aún menos de lo que se hacía habitualmente, que era muy poco. Eso nos dejó jugando en campos desnudos de hierba, y aquello nos obligaba a golpear la bola hacia abajo con nuestros hierros para conseguir un impacto sólido. Pero Smith no sabía golpear la bola hacia abajo. Él la "barría", sin sacar nunca una "chuleta" de hierba. En sus exhibiciones, Smith jugaba golpes completos de hierro 2 desde el *putting-green,* sin dejar más huella en ellos que una pequeña rozadura en la hierba. Solían decir que podría jugar desde un altar sin alterar el paño. Pero en aquellos campos de Texas no se podía ganar haciendo un *swing* así.

Smith me contó una vez lo que le sucedió en el último recorrido del Open Británico de 1930. Por aquel entonces todavía se jugaban 36 hoyos el último día, y a la hora de comer Smith era líder. Eso suponía un contratiempo para las casas de apuestas, que habían ofrecido 5 a 1 contra la posibilidad de que Smith ganara. Curiosamente, y según me dijo Smith, durante el recorrido de la tarde su bola caía siempre en sitios complicados o en terrenos pisoteados. Smith se dio cuenta en seguida de lo que estaba sucediendo: los apostadores iban corriendo por delante de él, asegurándose de que no fuera a tener ninguna suerte y a hacerles perder tanto dinero.

Al final, Bobby Jones ganó el campeonato.

---

[27] Relación honorífica de personajes célebres del colectivo, cuyos recuerdos, palos, trofeos, etc., forman un pequeño museo. *(N. del T.)*

Alcanzar el objetivo

A lo largo de los años he estado muy solicitado en las exhibiciones de golf y en los cursos de la PGA. Durante uno de esos cursos estaba yo demostrando "cómo jugar la calle" desde un *bunker*; así que apunté con mi hierro 4 a un árbol, a 165 metros de distancia, y mi golpe aterrizó a un metro del objetivo.

—¿Puede hacerse eso mismo con una madera? –preguntó uno de los alumnos.

Yo había probado pocas veces ese golpe con una madera, pero acepté el reto. Di el golpe y, al poco rato, una voz confirmó: "No sólo ha alcanzado el árbol, sino que la bola ha pasado por una apertura entre las ramas."

El movimiento mágico

Si existe un movimiento mágico en el *swing* de golf creo que es el que he apuntado una y otra vez en el campo de prácticas y en este libro.

Ya me lo habrán leído muchas veces, pero lo repetiré una más: *Al iniciar la bajada, deje que el peso se traslade al pie izquierdo mientras acerca el codo derecho al costado.* Éste es un solo movimiento, no dos.

Practíquelo una y otra vez. No necesita un palo de golf para hacerlo. Practique hasta que adquiera la sensación y el ritmo, y después siga practicando. Asegúrese de que los ojos están fijos en el punto donde estaría la bola y de que su cabeza se queda por detrás de la bola.

He leído muchos libros y revistas en los que se ofrecía "el secreto" del *swing*. "El secreto" toma diferentes formas en diferentes jugadores. Para Ben Hogan consistía en la pronación del brazo izquierdo; es decir, en mover el antebrazo de manera que la mano gire hacia adentro. Para Byron Nelson "el secreto" era un movimiento lateral sin pronación.

En realidad no existe ningún movimiento mágico; pero cuando aprenda el movimiento del pie *izquierdo/codo derecho* que he descrito más arriba, sus golpes le parecerán obra de magia.

Cómo practicar el *swing* completo

Escoja un hierro 6 o un hierro 7, el que le proporcione más confianza, y utilícelo en su entrenamiento para el 80 por 100 de los golpes largos. El motivo es que quiero que gane confianza en su *swing*, y la mejor forma de hacerlo es practicarlo con un palo en el que tenga confianza.

Un hándicap alto que aprenda a jugar bien el hierro 7 puede desarrollar su juego en torno a ese golpe. Incluso si tiene que jugar dos golpes en un par cuatro antes de quedar a una distancia de hierro 7 hasta el *green,* le será de gran ayuda saber que con un hierro 7 va a poner la bola sobre el *green.* Esto le dejará un "pat" para par, aunque sus dos primeros golpes le hayan parecido esfuerzos en vano.

Un *swing* completo de hierro 7 viene a ser tan largo como el *swing* de *drive.* La mayor longitud de la madera 1 y la necesidad de colocarse a la bola con el palo más adelantado es lo que hace que el *swing* del *drive* parezca más largo. La principal diferencia al hacer un *swing* con un hierro 7 y con un *drive* es que con el *drive* queremos golpear a la bola en el punto más bajo del *swing*, o cuando la cabeza del palo empieza a subir hacia adelante; pero esto depende de la posición de la bola.

Algunos profesores obligan a sus alumnos a practicar con un hierro 3, siguiendo la teoría de que si el alumno aprende a jugar un hierro 3 el resto de los palos le parecerán sencillos. Eso es verdad, pero me parece ir marcha atrás. Es mucho más fácil aprender a jugar bien un hierro 7; y, además, le resultará luego más sencillo golpear el hierro 3 si primero lo hace con el *swing* del hierro 7. Y recuerde que no hay que hacer el *swing* más fuerte porque el número del palo sea más bajo.

Lo ideal es practicar un poco con cada palo. Pero no dedique demasiado tiempo a la madera 1. Éste es el palo más difícil de pegar; por esa razón se coloca la bola encima de un *tee.* El objetivo de practicar es mejorar –o, al menos, no empeorar–, y la forma más segura de conseguirlo es practicando con un palo que dé buenos resultados.

No me gusta nada ver a un jugador hándicap alto practicar la madera 1. No sólo llega a resultar muy feo estéticamente, sino que además el jugador termina frustrado y su *swing* se vuelve cada vez peor. La mayoría de los hándicap altos y quienes juegan una vez a la semana deberían encerrar la madera 1 bajo llave y jugar con la madera 3. Por lo general, el jugador *amateur* que utilice la madera 3 desde el *tee* tendrá más éxito. Sólo echará de menos uno o dos buenos golpes de *drive* en dieciocho hoyos, y no vale la pena arriesgarse para eso.

Calentar con prisas

Si llega al campo de golf con sólo unos minutos para calentar antes de jugar, emplee ese tiempo en practicar golpes de *chip*. El golpe de *chip* es una versión reducida del *swing* completo, y les dice a los músculos y al cerebro que se preparen para jugar al golf.

Muchos de los principiantes que llegan al campo con poco tiempo para calentar van corriendo al campo de prácticas e intentan dar algunas bolas a toda prisa. Esto puede servir para desentumecer la grasa, pero también puede arruinar el ritmo para todo el día e incluso implantar pensamientos negativos.

Otros se creen más listos, corren al *putting-green* e intentan practicar tantos "pats" como puedan antes de que les llamen al *tee* del 1. Pero casi siempre fallan la mayoría de esos "pats" jugados con tanta prisa, y cuando les llaman para salir están llenos de dudas sobre su habilidad con el "pat".

Para calentar cuando tenga prisa y estimular su sensación y su "toque", dedique el tiempo a jugar con cuidado algunos golpes de *chip*.

Esto preparará su mente para la tarea que le espera, que es jugar al golf. Si su mente está todavía en la oficina cuando llegue al *tee* del 1, seguro que le espera un mal día de golf.

"Chipear"

Lo primero y más importante que hay que aprender sobre el golpe de *chip* es esto: *Mantenga siempre las manos por delante o a la altura de la cabeza del palo, hasta completar el "swing".*

Coja el palo por la parte inferior de la empuñadura, cerca de la varilla. Flexione las rodillas para adaptar su postura a la nueva longitud del palo, y colóquese más cerca de la bola si es preciso. Además, cargue el peso un poco más de lo normal sobre el pie izquierdo y deje sueltos los codos; recuerde que va a golpear a la bola con las manos, no con los codos.

La subida hacia atrás y la prolongación hacia adelante serán, aproximadamente, de la misma longitud, como en el golpe de "pat". Es conveniente que utilice un palo con poco ángulo, que lleve cuanto antes la bola hasta el *green* y la haga rodar hasta el hoyo. Si la situación es de mucha presión alrededor del *green,* coja siempre el palo más recto con el que se sienta capaz de hacer el trabajo. Puede ser necesario hasta un hierro 3 para conseguir que la bola ruede todo lo que usted desea.

A los hándicap altos les recomiendo que utilicen el

"pat" desde fuera del *green* siempre que parezca factible. Generalmente se acercarán más al hoyo así. Y, en especial, si se encuentra en una posición cuesta abajo, o con poca hierba, o contra el viento, o si el *green* hacia el que pretende jugar es muy rápido, elija siempre "chipear" la bola en lugar de "aprochar" por alto.

"Patear"

Como sucede con el golpe de *chip*, lo primero y más importante que se debe aprender sobre el golpe de "pat" es que hay que mantener las manos a la altura o por delante de la cabeza del palo durante todo el golpe. A pesar de eso existen muchos grandes pateadores –como Billy Casper y Chi Chi Rodríguez– que utilizan mucho las muñecas al "patear" y que, al golpear a la bola, hacen que la cabeza del palo adelante a las manos, y si yo veo a uno de mis alumnos meter muchos "pats" con este tipo de movimiento no intentaré corregirle.

"Patear" es un hábito muy personal. Bobby Locke, por ejemplo, lo hacía con *hook*. Yo nunca enseñaría a un alumno a "patear" de esa forma, pero tampoco pediría a Bobby Locke que dejara de hacerlo.

Yo enseño a "patear" usando un método muy sencillo: Observe la "caída" desde detrás de la bola. Adopte su postura con las manos ligeramente por delante de la bola o directamente encima. Eche un vistazo al hoyo y a la cara del palo para asegurarse de que ésta se encuentra perpendicular a la línea que quiere que siga la bola.

Sepárese un poco y haga uno, dos o tres *swings* de

prácticas, calculando la distancia y concentrándose en cada uno de ellos como si quisiera meter el "pat". A mí me gusta que el golpe se inicie con un ligero movimiento de las manos hacia adelante, con la misma idea de hacer el *swing* con un cubo. Para terminar ponga la cabeza del "pat" detrás de la bola, mantenga quietos la cabeza y los ojos, e imite su último golpe de prácticas.

Una gran ventaja de este sistema es que le obliga a concentrarse en el golpe, y no en la importancia del "pat". Nunca –repito, nunca– se permita pensar en la trascendencia de un "pat", ya sea un campeonato del Grand Slam o una apuesta de 50 centavos. Juegue el "pat" como si ya hubiera jugado 10.000 "pats" iguales en el pasado y concéntrese en imitar su último golpe de prácticas, no en lo que sucederá si lo falla o si lo mete.

Un viejo refrán que odio es el célebre *"never up, never in"* (si no llega, no entra). Es cierto que una bola que no llega hasta el hoyo no entrará, pero tampoco lo hará la bola que se ha pasado del hoyo. Lo que me gusta es que el "pat" "muera" en el hoyo. Me gusta ver la bola deslizarse suavemente en el interior dentro del hoyo, como si fuera un ratón. La bola que se detiene a la altura del hoyo puede a veces caer dentro de él, pero la que va con demasiada fuerza suele golpear el hoyo y salirse. Si se pudiera echar cuentas, estoy seguro de que se han fallado tantos "pats" por pasarse del hoyo como por quedarse cortos. Para un "pat" demasiado fuerte el hoyo sólo tiene dos centímetros y medio de diámetro; pero para la bola que se frena a su altura, el hoyo es cinco veces mayor. Además, resulta luego más fácil meter un "pat" que se queda treinta centímetros corto que uno que se pasa un metro, especialmente si el terreno está cuesta arriba.

La principal razón por la que se queda corto un "pat" no es por golpearlo demasiado flojo, sino por hacerlo perpendicularmente sobre el *sweet spot,* ese punto en la cara del palo donde el impacto no produce vibraciones y hace rodar la bola de manera uniforme.

En los "pats" cortos concéntrese en la línea hasta el hoyo. En los "pats" largos concéntrese en la distancia. En todos los casos intente mantener la cabeza del palo cerca del suelo, pero nunca sacrifique un buen movimiento natural si al seguir mis consejos le resulta demasiado artificial.

Yo prefiero un movimiento de "pat" que emplee las manos y las muñecas. Pero en los "pats" muy largos necesitará utilizar los hombros y hacer una subida y una prolongación más largas. Algo que todos los grandes pateadores tienen en común, independientemente de su estilo, es que el movimiento de "pat" tiene la misma longitud hacia atrás que hacia adelante.

En cuanto a los requisitos previos, procure colocarse con la bola frente a su talón izquierdo y con los pies perpendiculares a la línea de tiro. Si nota que sube el palo por fuera de la línea, es posible que tenga cargado el peso sobre la punta de los pies y que sus ojos no estén sobre la bola. (Existen dos formas fiables para asegurarse que se sitúa con los ojos directamente por encima de la bola: sujete una bola a la altura de los ojos y déjela caer para comprobar dónde aterriza, o bien sujete la varilla del palo verticalmente desde los ojos hasta la bola.)

Para coger el palo coloque la mano izquierda sobre la empuñadura, adaptándola al diseño del fabricante. La mayoría de los buenos pateadores, sin embargo, no enfrentan las palmas de las manos en el "pat", sino que esconden las manos un poco, por detrás de la empuñadura, procurando siempre mantener la cara del palo perpendicular a la línea de tiro. En cualquier caso, mi consejo es que cuando adquiera un buen sistema para "patear", se mantenga fiel a él. El resto es todo mental. Y cuando practique el "pat" busque siempre una zona plana en el *putting-green,* o ligeramente cuesta arriba.

Una de las veces que fui a ver el Masters de Augusta me acerqué a ver a Jacky Cupit practicar en el *putting-green.* Le observé un rato y, finalmente, no pude evitarlo. Me acerqué y le dije:

—Jacky, ¿te molesta si te hago una sugerencia?

—¿Por qué crees que he estado tan cerca de las cuerdas todo este rato? –me contestó.

Yo había notado que Jacky había estado jugando los "pats" con *pull hook*[28] sin querer. Al intentar corregirlo, había colocado las manos demasiado altas, y no encontraba la solución. Le dije:

—Hijo, vamos a intentar coger el palo tal y como esperaba que lo hicieras quien lo diseñó. Simplemente, deja que las manos se adapten a él.

Jacky salió luego a jugar y se hizo 67 golpes, la vuelta más baja del día hasta que Ben Hogan entregó un 66. Jacky se acercó con una enorme sonrisa de felicidad a enseñarme su tarjeta.

—Harvey, lo hemos conseguido –me dijo.

Yo en realidad no había hecho nada, excepto darle una idea positiva.

Otras veces he oído a la gente hablar de jugar los "pats" con *overspin,* o efecto de giro hacia adelante; pero eso es casi imposible. Es como jugar al billar: para dar *overspin* a una bola de billar hay que golpearla con el taco en el tercio superior de la bola, y nadie en su sano juicio intentaría jugar un "pat" así.

---

[28] El *pull* es un golpe por el que la bola sale directamente, y en línea recta, hacia la izquierda. El efecto contrario se denomina *push*. En este caso, *pull hook,* la bola sale muy hacia la izquierda y gira todavía más en esa dirección. *(N. del T.)*

Habitúese a llevar el "pat" en la mano izquierda. O en ambas manos, si prefiere. Pero nunca lo lleve sólo en la mano derecha. La mano y el brazo izquierdos son como una extensión de la varilla del "pat" en el momento de jugar. Ésa es la sensación que debe procurar tener. He visto a algunos profesionales colocar la cabeza del "pat" detrás de la bola con la mano derecha y luego, cuando ponen la mano izquierda junto a la derecha, varían instantáneamente el sitio al que apuntan. Evite usted este error utilizando la mano izquierda, o con ambas manos, para colocar el "pat" detrás de la bola.

Piense positivamente y sea decisivo sobre el *green*. Decida lo que quiere hacer con un "pat" y entonces hágalo con confianza, incluso si luego resulta que estaba equivocado. Si impacta bien a la bola, lo sabrá, porque se frenará en línea recta. Un mal "pat" se frena deslizándose hacia un lado.

La razón por la que estoy tan obsesionado con el golpe de "pat" es que dos de mis mejores amigos, Horton Smith y Ben Crenshaw, fueron los mejores pateadores de su tiempo. Horton Smith practicaba el "pat" con un ejercicio que le recomiendo: juegue unos cuantos "pats" utilizando sólo su mano derecha. Cuando adquiera la sensación de cómo hacerlo, deje que la mano izquierda se incorpore suavemente. En cualquier caso, a mí me gusta que las dos manos trabajen juntas.

Otro buen ejercicio para adquirir una buena sensación de "toque" consiste en "patear" una bola a diez metros. Luego "patear" la siguiente a nueve metros y medio. Luego, a nueve metros, y así sucesivamente hasta "sentirlo".

Y juegue a juegos en el *putting-green*. Cuanto más tiempo pase allí, mejores serán sus resultados en el campo de golf.

El temible "pat" de metro y medio

—Harvey, ese juego que practicas no tiene sentido. Golpeas una bola 225 metros desde el *tee* y cuenta como un golpe, lo mismo que un "pat" de un metro o de un metro y medio.

Este comentario me lo hizo en cierta ocasión una mujer, en la iglesia, y ni tan siquiera el más experto de los golfistas podría discutir esta opinión. Cuando Ben Hogan juega en su club de Shady Oaks, en Fort Worth, le gusta hacerlo a coger calles y *greens* y a ver quién deja la bola más cerca de la bandera, olvidándose por completo del "pat".

Otro profesional, Orville Moody, decía que los "pats" de metro y medio casi le obligaron a dejar la competición. "Me resulta imposible sobreponerme al hecho de alcanzar 400 metros con dos buenos golpes, dejar la bola a metro y medio del hoyo, y, si fallo ese "pat" cortísimo, los dos golpes cortos valen lo mismo que los dos golpes largos", decía. Esto fue antes de que Orville consiguiera su "pat-escoba" extralargo y empezara a ganar mucho dinero en el circuito senior. (Como debo estar pasado de moda, no me gustan los "pats" extralargos. Me parecen raros. Creo que debería haber una regla que exigiera que las dos manos estén en contacto al "patear".)

Uno de los aficionados de nivel medio de mi club me

dijo un día: "Harvey, prefiero tener un golpe de 160 metros por encima de un lago que un 'pat' de metro y medio." Y no me extraña. A menudo, yo mismo empiezo mis conferencias reconociendo que "levantarme a hablar delante de profesores como vosotros me pone más nervioso que ninguna otra cosa excepto un 'pat' de un metro cuesta abajo en un *green* rápido y con caída hacia la izquierda".

(Al leer esta frase muchos de ustedes habrán pensado, probablemente que me he equivocado, porque todo el mundo sabe que los "pats" cuesta abajo y con "caída" hacia la derecha son los más complicados para un diestro, ¿no? Pero les diré que, en los muchos años que llevo dirigiendo escuelas de hasta 250 profesionales por clase, ninguno de ellos me ha discutido nunca que los "pats" cuesta abajo con "caída" hacia la izquierda son los que les ponen los nervios de punta. Tanto los "pats" con "caída" a la derecha como a la izquierda son muy difíciles, pero la razón por la que digo que los de "caída" a la izquierda son más difíciles es porque hay que apuntar a la derecha del hoyo, y como la cara del palo se cierra de forma natural tras el impacto, lo normal es que ayude a la bola a coger la "caída" hacia ese lado.)

Pensemos por un momento en esos temibles "pats" de metro y medio, a ver si podemos eliminar parte del miedo.

Una de las razones por las que el jugador *amateur* falla estos "pats" es el miedo o la falta de concentración. En lugar de pensar en golpear la bola hacia el interior del hoyo, piensa en otras cosas, incluidos sus compañeros de partido en el *green,* pendientes del resultado de su golpe. Además, normalmente el golfista medio no se esfuerza tanto en alinear un "pat" de un metro o de metro y medio como en uno de tres metros que, a lo mejor, puede resultar más fácil.

Otro error importante que veo en el golfista *amateur* es que intenta guiar el "pat" corto hasta el hoyo; intenta ayudar a la bola a seguir la caída.

La forma adecuada de jugar estos "pats" empieza por estudiar la trayectoria desde detrás de la bola. Si decide que "cae" cinco centímetros desde la izquierda del hoyo, hay que jugarlo en línea recta cinco centímetros a la izquierda del hoyo, no intentar hacer girar la bola hacia el hoyo. Utilice el método del capítulo anterior: haga uno, dos o tres *swings* de prácticas sobre la línea, eliminando de su mente cualquier idea negativa, y a continuación imite su último golpe de ensayo. No intente ver rodar la bola. Limítese a golpearla a lo largo de la línea. Esta rutina le ayudará a evitar que su mente se distraiga. Los pensamientos negativos y descuidados son los factores que provocan más fallos en el "pat".

Si se enfrenta usted a un "pat" cuesta abajo que cae de derecha a izquierda, pruebe golpear la bola con la punta del "pat" y en línea recta hacia el hoyo. Esto eliminará algo o toda la caída. Cuando digo esto a mis alumnos siempre me preguntan: "¿Entonces debemos golpearla con el talón si cae hacia el otro lado?"

Mi respuesta es "no". Nunca la golpee con el talón.

Un "pat" recto de un metro o metro y medio entrará siempre si apuntamos al centro del hoyo y golpeamos a la bola con el *sweet spot* de la cara del palo. En estos casos preocúpese tan sólo de la línea. Seguro que golpeará a la bola con fuerza suficiente.

Extreme su cuidado al alinear los "pats" cortos. Emplee el método y confíe en lo que está haciendo. Incluso los mejores jugadores del mundo fallan "pats" cortos, pero no muy a menudo. No existe ninguna razón por la que usted deba fallarlos.

El *socket*

El golpe de *socket* resulta tan feo que hasta odio escribir la palabra. En lugar de eso prefiero llamarlo "golpe lateral".

En una ocasión tuve un alumno, un buen jugador, que de repente empezó a dar "golpes laterales". Me pidió que le acompañara al campo de prácticas y me lo mostró. Como yo sabía que él era un buen jugador, y que sería capaz de salir del problema por sí mismo, le dije:

—Te apuesto a que no eres capaz de hacerlo doce veces seguidas.

Él lo hizo doce veces seguidas.

—Y ahora, ¿qué? –dijo.

—Vete a casa y vuelve mañana –le contesté.

La mayoría de la gente cree que el "golpe lateral" se produce por golpear la bola con la cara del palo cerrada en el impacto, pero raras veces sucede así. Normalmente, el golpe es provocado al bloquear un *pull*, o lo que se piensa que va a ser un *pull*. Pero las causas pueden ser muy diversas: puede que la bola esté demasiado adelantada; en el caso de los principiantes, puede que estén demasiado cerca de ella; en el de los expertos, puede que se encuentren demasiado separados.

Muchas veces el "golpe lateral" se produce cuando el jugador intenta mantener su cabeza demasiado baja. Esto amplía el arco del palo, reduce la distancia entre el

114

hombro y la bola, y el jugador dobla el codo izquierdo en el impacto.

También puede estar causado por la mala vista. Cualquier piloto le dirá que la vista cambia un poco de día en día.

Éstos son algunos de los remedios que yo empleo para el golpe lateral. Alguno de ellos me sirvió para resolver el problema de aquel alumno del principio del capítulo:

• Intente conscientemente golpear cada bola con la punta del palo hasta que deje de hacer *socket.*

• No apunte nunca a la izquierda del objetivo. Haría mejor en apuntar a la derecha.

• Intente notar cómo la punta del palo se cierra al pasar por la zona de impacto.

• Coloque una cajita de cartón, o un *tee,* unos dos centímetros al otro lado de la bola. Golpee la bola sin golpear la cajita o el *tee.*

Es casi imposible hacer un golpe lateral si la cara del palo está cerrada. Inténtelo alguna vez. Cierre la cara del palo y haga su mejor *swing* y su mejor *follow-through* hacia adelante. Mantenga la cara cerrada del palo durante todo el *swing.* Puede que la bola se desvíe a la izquierda, pero no creo que pueda hacer un "golpe lateral".

Por qué decidí hacerme profesor

Este pequeño capítulo se lo quiero dedicar a Sam Snead.

Cuando era joven, yo pensaba que era un jugador bastante bueno y, como muchos otros, aspiraba a poder jugar en el circuito profesional. Pero mis aspiraciones terminaron en un Open de Houston, a mediados de los años treinta. Me encontraba en el *putting-green,* practicando, cuando un amigo se acercó a mí:

—Harvey, ¿has visto cómo le pega a la bola ese chico, ese tal Snead? Está a punto de salir a jugar ahora.

Me acerqué hasta el *tee* y vi al chico, recién llegado de West Virginia, pegar su *drive.* No sólo lo vi, lo oí. Sonó como un rifle, y la pelota voló como una bala.

Desde ese momento supe que mi futuro no estaba en ser jugador del circuito.

La colocación

Enfréntese a la bola de cara, como si fuera a dar la mano a alguien al otro lado de ella. No hay que contornear el cuerpo de ninguna forma rara. Si fuera a dar la mano a alguien, no se torcería hacia un lado ni se dejaría caer bruscamente hacia adelante, como hacen muchos principiantes al colocarse ante la bola.

Si usted camina con los pies torcidos hacia afuera normalmente, entonces manténgalos así cuando se prepare para jugar un golpe de golf. Pero si, por el contrario, camina con los pies hacia adentro, tendrá que ponerlos más perpendiculares a la línea de tiro.

Muchos buenos jugadores adoptan con los pies la misma posición que adoptaba Ben Hogan: el pie derecho perpendicular a la línea de juego y el pie izquierdo girado algunos centímetros hacia el objetivo. Con esta postura el pie derecho ayuda a acortar una subida demasiado larga, mientras el pie izquierdo, sesgado, ayuda a trasladar el peso durante la bajada y a completar el *swing*.

Pero el jugador *amateur* puede preferir abrir también un poco el pie derecho para permitir un giro mayor.

Si usted busca "cerrar" su colocación y apuntar con el cuerpo un poco a la derecha, hágalo separando el pie derecho algunos centímetros de la línea de tiro. Pero asegúrese de que gira las caderas y los hombros para adaptarlos al cambio en el pie. Demasiados principiantes *amateur* creen que basta separar el pie derecho de la línea para "cerrar" su colocación. Pero si mantienen las caderas y los hombros paralelos a la línea de tiro, no habrán hecho ningún cambio en absoluto.

Para "abrir" la colocación (hacia la izquierda), separe el pie izquierdo de la línea unos centímetros, y deje que las caderas y los hombros se reacomoden.

Al colocarse a la bola flexione las rodillas sólo un poco, como si hiciera ese primer movimiento para sentarse. Cuando digo a mis alumnos que flexionen las rodillas, algunos empiezan a menearse hacia arriba y hacia abajo dando un aspecto muy *amateur*. Tenga usted cuidado al utilizar esta idea de "sentarse", porque muchas veces he visto a un alumno exagerarla hasta el punto de que, cuando se coloca ante la bola, parece que está sentado en una silla.

Lo que sí es importante es que, en todo momento, se sienta usted cómodo y a gusto, sin experimentar tensión alguna.

Wesley Ellis, Jr., que jugó conmigo en la universidad antes de entrar en el circuito, tenía la postura más natural que jamás he visto. Wesley se acercaba a la bola con su paso normal, se paraba y la golpeaba; y ponía la bola en juego mejor que nadie a quien haya conocido nunca.

Wesley solía tener un perro que le seguía fielmente en sus recorridos por Brackenridge Park. El perro se sentaba tranquilamente, sin molestar nunca a nadie. ¡Qué buena compañía!

Una costumbre muy mala

Mirar cómo sube hacia atrás la cabeza del palo al comienzo del *swing* puede arruinar cualquier posibilidad de dar un buen golpe.

Cualquier error que cometa al subir el palo no será tan nefasto como mirarlo.

Es sorprendente cuántos golfistas caen en esta mala costumbre.

El alumno nuevo

Antes de llevar a un alumno al campo de prácticas me gusta acompañarle al club a tomar un café y charlar un rato con él. Normalmente los alumnos están nerviosos, y quiero tranquilizarles. Quiero ganarme su confianza. Les pregunto por su juego, si juegan y practican a menudo, cuáles son sus objetivos. Y les digo: "Cualquier error que cometas ahí afuera será un error mío, no tuyo."

A veces se lamentan de que sus palos no son demasiado buenos. Entonces les digo: "Escucha, tu *swing* es, en primer lugar, un fallo mío; en segundo lugar, un fallo tuyo, y sólo en tercer lugar podría ser una fallo del palo."

A los nuevos alumnos les pregunto si prefieren jugar hierros o maderas, si tienen algún tipo de dolor, cómo les va la vida. Me gusta comprender a mis alumnos y hacerles sentirse cómodos conmigo. Esta fase dura sólo unos veinte minutos, y nos sitúa a los dos en e! buen camino para aprender.

La competición

Ben Crenshaw y Tom Kite tuvieron la fortuna de crecer en la misma época y en la misma ciudad, y de asistir juntos a la Universidad de Texas; esto les proporcionó a cada uno de ellos un rival de máxima categoría desde una edad muy temprana.

La verdad es que no se aprende a jugar al golf ganando a jugadores malos. Crenshaw y Kite tuvieron que aprender a jugar muy bien al golf para poder ganar a otro gran golfista de la misma ciudad, que representaba a un colegio diferente.

A Ben Hogan y Byron Nelson les sucedió algo parecido. Crecieron al mismo tiempo en Fort Worth, y ambos fueron *caddies* en Glen Garden. Desde niños cada uno de ellos sabía quién era su principal rival. Pero cuando Byron y Ben crecieron, descubrieron que tenían un tercer rival: Jimmy Demaret, un chico de Houston.

En la competición hay que intentar ser uno mismo. Los niños de Houston solían imitar a Demaret, que siempre estaba de broma y relajado. En Fort Worth los niños copiaban la seriedad de Hogan, o las maneras

–también aparentemente poco emotivas– de Nelson. Si usted es un tipo bromista, salga al campo de golf y haga bromas. Si, por el contrario, es serio, no hay necesidad de pretender no serlo.

Cuando entrené en la universidad no tuve a mi cargo a ningún gran atleta, excepto Ben Crenshaw. Ben empezó a jugar para la universidad cuando George Hannon me sustituyó como entrenador, pero yo siempre me sentí su preparador. Ben podía jugar bien a cualquier deporte. Me encantó verle dejar los otros y elegir el golf.

Cuando yo era entrenador, la mayoría de los jugadores de golf no eran atletas capaces de formar parte del primer equipo de ningún otro deporte. Uno de mis mejores jugadores en la universidad, Morris Williams, Jr., que habría llegado a ser un campeón en el circuito profesional si no se hubiera matado volando un avión de combate en 1954, ni siquiera sabía nadar.

Pero a medida que los premios crecieron en el circuito profesional, los mejores atletas empezaron a dedicarse al golf en la universidad. Jack Nicklaus, cuyo profesor –Jack Grout– era un amigo mío de Fort Worth, podría haber destacado en varios deportes.

Hoy veo en la televisión a muchos golfistas que podrían haber destacado en otros deportes, como ese joven ganador del Campeonato de la PGA, John Daly. Hay profesionales que hacen el *swing* con los músculos más grandes y otros que hacen el *swing* sólo con los brazos, pero Daly es una mezcla de ambos. Seguro que mucha gente bien intencionada intentará cambiarle a Daly ese *swing* tan largo y cruzado a la línea de tiro; pero por lo que yo he visto de él, yo no le cambiaría mucho.

El hecho de que un golfista no sea un atleta no quiere decir que no pueda ser uno de los mejores competidores. Los jugadores de billar son grandes competidores.

Cuando algún jugador de fútbol americano viene a tomar lecciones conmigo, noto que los que juegan en posiciones de *end* y de *quarterback,* más delgados y estilizados, suelen ser mejores jugadores de golf por regla general. Resulta más difícil enseñar a esos jugadores de gran tamaño, obsesionados con los músculos. Earl Campbell, el excepcional *running back*[29] de la Universidad de Texas, que ganó el Trofeo Heisman[30], juega mucho al golf pero nunca ha venido a verme para tomar una lección. Si algún día lo hace, le pondré en seguida a practicar su juego corto.

Yo comparo la presión del golf con los tiros libres en baloncesto. El jugador empieza desde una posición completamente parada y el aro no se mueve. Cuando estoy con entrenadores de baloncesto les pregunto qué es lo que les dicen a sus jugadores antes de un tiro libre crucial, del que dependa el partido. La mayoría sólo les dicen: "Sé tú mismo."

En el golf, yo necesito conocer bien al jugador antes de aconsejarle cómo responder a la presión de un partido importante. Algunos lo hacen mejor cuando saben que existe presión, pero otros lo hacen mejor si consigo evitar que piensen en ello.

---

[29] Posición ofensiva en el fútbol americano. *(N. del T.)*
[30] Trofeo al mejor jugador del año en la liga universitaria de fútbol americano. *(N. del T.)*

Niños y coches

En mi opinión, ningún jugador joven puede llevar su juego a su potencial más alto si juega montando en un coche de golf. El que sea lo suficientemente mayor como para hacer el *swing* debería caminar, fortaleciendo las piernas y aprendiendo a sentir el ritmo de un juego que, simplemente, no se puede aprender desde un cochecito.

Está bien que los niños monten en el coche con mamá y papá, y que se diviertan. Pero ver a cuatro jóvenes jugar un partido y, a la vez, conduciendo dos coches me resulta una imagen muy triste.

Walter Hagen decía que hay que detenerse y oler las flores mientras vas por el campo. Estas sensaciones son una parte poderosamente atractiva y educativa del golf. Pero nuestros jóvenes las notarán mucho menos si crecen metidos en un cochecito.

Una historia contada
por Helen

Cuando me casé, hace sesenta años, Harvey ya tenía una reputación importante en el mundo del golf. A los dieciocho años entró como director de la Escuela de Golf del Austin Country Club, y a los veintiséis le contrataron como entrenador de la Universidad de Texas. De modo que siempre se me conoció como la señora de Harvey Penick. Sólo nuestros amigos me conocían como Helen. La gente solía decir: "Es la señora de Harvey Penick. Seguro que juega al golf muy bien."

A mí me encantaba el juego, pero tenía hándicap 18. Y cuando me apuntaba a torneos de golf utilizaba mi nombre de soltera, Helen Holmes.

La última vez que jugué con Harvey fue en un torneo mixto celebrado en el antiguo Austin Country Club, en Riverside Drive. Nos tocó contra Martha y Peck Westmoreland, de Lockhart. Recuerdo que antes de empezar a jugar Harvey me dijo: "Helen, Peck le está pegando a la bola tan mal... Es por su empuñadura. ¿Te importa montar en el cochecito con Martha mientras intento ayudarle a solucionarlo?"

Seis hoyos más tarde, cuando Peck ya estaba jugando muy bien, Harvey se acercó a mí y me dijo: "Helen, Martha lo está pasando terrible con su golpe de 'pat'. Si montas con Peck un rato, yo intentaré ayudar a Martha."

Martha hizo dos "pats" en el hoyo 7, y sólo uno en el 8 y en el 9.

En el *tee* del 10 le dije:

—Harvey, ya has ayudado a Martha y a Peck. Ahora explícame a mi qué es lo que estoy haciendo mal.

—No lo sé. No te he estado mirando –me contestó.

Así que aquel día dejé de jugar con él.

También recuerdo que Harvey solía darme una lección de quince minutos de vez en cuando, y luego se escondía. Pero tal vez sea esa la razón por la que hemos estado casados durante tanto tiempo.

Aprender

Los profesores me han enseñado a dar clases de golf. Los jugadores me han enseñado a jugar. Los entrenadores me han enseñado a ganar.

Muchos profesores de golf enseñan de forma muy distinta a otros. Yo prefiero escuchar a los que enseñan de manera distinta a como lo hago yo porque así puede que aprenda algo de ellos. Ya sé cómo enseño yo.

Horowitz, el célebre maestro de piano, dijo en una ocasión a sus alumnos: "Nunca tengáis miedo de atreveros a algo. Tampoco tengáis miedo de tocar sin pedir consejo. Yo no os voy a enseñar, pero sí os voy a guiar."

—Vaya, suena justo como tú –me dijo mi hijo Tinsley cuando le leí esa cita.

Siempre recordaré lo que mi primo, D. A. Penick, dijo cuando entregó a Wilmer Allison las riendas como entrenador del equipo de tenis de la Universidad de Texas:

—Wilmer, sé que en cuatro años convertirás a tus alumnos en mejores jugadores. ¿Pero serán también mejores personas? Eso es lo importante.

Algunas de las mujeres en mi vida

He tenido la suerte de entrenar y de enseñar a las ganadoras de diez Abiertos de los Estados Unidos y a cuatro de las diez jugadoras (trece hoy en día) incluidas en la Sala de la Fama de la LPGA: la Sala de la Fama más exigente y exclusiva[31] de cualquier deporte.

Estoy muy orgulloso de ellas y de muchas otras excelentes alumnas a las que he podido guiar a lo largo de mi carrera. Pero las lecciones de las que estoy más orgulloso son las que di a aquella mujer que vino desde París.

---

[31] Para entrar en ella se requiere haber sido miembro del Circuito LPGA durante diez años consecutivos, y haber ganado al menos 30 torneos, incluidos dos de los cuatro más importantes (el Open USA, el LPGA Championship, el Du Maurier Classic o el Nabisco Dinah Shore). *(N. del T.)*

LA MUJER DE PARÍS

Era una mujer pequeña, bonita y de ojos oscuros, que no tenía ninguna habilidad natural para el golf. No creo que en toda su vida hubiera sido capaz de pegarle a nada con un palo.

Cuando le pregunté de dónde era me dijo:

—De París.

—¿París, en Texas? –le pregunté

—No. París, Francia –contestó.

Yo me quedé asombrado de que hubiera hecho el viaje desde Francia para tomar lecciones, y de que no fuera capaz siquiera de levantar la bola del suelo. Charlé con ella antes de la primera lección y le pregunté cuál era su objetivo. Me dijo que cuando regresara a casa quería ser capaz de jugar al golf con su marido. Luego le pedí que golpeara algunas bolas y comprobé que no tenía ni la más mínima idea de cómo hacer un *swing* de golf.

Me coloqué delante de ella y sujeté la varilla del palo sin que ella lo soltara. Inicié el movimiento de la subida; llevé la varilla directamente hacia atrás hasta ponerla paralela al suelo y le pedí que me siguiera. Luego seguí subiendo el palo recto hasta arriba; ella giró con naturalidad y levantó el talón izquierdo del suelo sin que yo le dijera nada.

A continuación, el movimiento de bajada; su talón izquierdo se plantó de nuevo en el suelo con naturalidad. Moví la varilla muy despacio hacia abajo, hacia adelante y hasta el final, y ella completó el *swing* con sus codos por delante.

Luego repetí la acción otra vez, y otra; hasta cinco veces. En cada nuevo *swing* añadía un poco más de ritmo, creando en ella –sin decírselo– la idea de hacer el *swing* con un cubo.

—Ahora ya sabe cómo hacerlo –le dije al terminar el quinto *swing*, y coloqué una bola sobre un *tee*–. Limítese a mover el palo como usted sabe –añadí–. No quiero que lo note como si fuera a golpear a la bola. Quiero que arranque del suelo ese *tee* con el *swing* que le he enseñado.

Esta bonita y pequeña mujer golpeó la bola y la envió por el aire hasta unos 70 metros de distancia. No sé quién estaba más contento, si el profesor o la alumna. Se puso a saltar y me besó.

—¡Estoy tan emocionada! –exclamó.

Se quedó durante una semana y cada día le di una clase. Cuando ya pegaba a la bola bastante bien le dije:

—Ahora está preparada para salir a jugar al golf con su marido. Las primeras cinco veces que juegue con él ponga la bola sobre un *tee* para dar cada golpe, de manera que no intente ayudar a la bola a elevarse. Después de eso, ya podrá jugar al golf de verdad.

Ella regresó a Francia, se convirtió en una buena jugadora y disfrutó del golf junto a su marido durante muchos años.

¿Qué más puede pedir un profesor?

BETTY JAMESON

La primera de mis alumnas que se hizo famosa fue Betty Jameson. Vino a la Universidad de Texas a los diecinueve años respaldada por un buen palmarés *amateur*. Betty era todo un carácter. Hoy es una excelente pintora que adora las artes.

Mi mujer, Helen, solía ir a buscarla cada día a su colegio mayor, la traía para dar la clase conmigo y luego la llevaba a casa de nuevo.

Betty había recibido una buena enseñanza de Tod Menefee, en San Antonio, y de Francis Scheider, en Dallas, que es donde realmente empezó a jugar. Cuando vino a mí tenía tendencia a "pulear" sus hierros hacia la izquierda, y nuestro entrenamiento se centró en intentar controlar su brazo y su lado izquierdos.

Siendo *amateur* ganó grandes torneos como el Trans-Miss y el Campeonato de Texas. En este último iba perdiendo por seis abajo al terminar los primeros 18 hoyos de la final, que era a 36 hoyos. Entonces telefoneó a San Antonio a su "amiga de la suerte" y le pidió que cogiera el coche y viniera a toda prisa al campo de golf. Su amiga llegó a tiempo, y Betty ganó el campeonato.

Cuando tenía veintiún años, Betty dejó la universidad y se incorporó al circuito profesional, donde ganó el Abierto de los Estados Unidos dos veces y consiguió entrar en la Sala de la Fama.

Fue muy emocionante para mí que nos propusieran juntos para la Sala de la Fama del Deporte de Texas. Hoy Betty se dedica sólo a pintar en su casa de Florida.

KATHY WHITWORTH

Kathy Whitworth es una de las personas más dulces y consideradas que he conocido nunca.

La conocí cuando Hardy Loudermilk, el profesional de Jal, en Nuevo México, me llamó y me dijo que me había recomendado a ella y que venía hacia aquí. La madre de Kathy condujo los 750 kilómetros hasta Austin.

Cuando Kathy llegó pesaba 80 kilos. Parecía como si

su deporte favorito fuera comer cajas de helados. La animé a perder peso y mejoré su empuñadura y su *follow-through.*

Cuando regresó a Nuevo México ganó el Campeonato Amateur del Estado e ingresó en el *junior college*[32], pero a los pocos meses lo dejó. Me escribió una carta en la que decía: "Supongo que querrás darme una patada en el trasero por esto, pero quiero jugar en el circuito profesional." Su madre la llevó a Beaumont, donde Kathy demostró su valía al ganar dinero en su primer torneo profesional.

Desde entonces, Kathy ha ganado más torneos que ningún otro golfista, hombre o mujer, incluido Sam Snead. También metía más "pats" largos cuando los necesitaba que ningún otro jugador al que yo haya visto nunca.

Kathy pasó unos días con Helen y conmigo hace poco, mientras yo le daba clases sobre cómo enseñar. Muchos grandes jugadores, como Kathy, hacen el *swing* de una manera que les resulta natural, así que no tienen que pensar en ello ni tampoco saben cómo explicarlo. Yo le enseñé a Kathy mi teoría sobre el giro y a ella le encantó aprender a explicar ese movimiento con sencillas palabras. Hay muchos grandes jugadores capaces de hacer *swings* preciosos, pero incapaces de decir cómo lo hacen.

—Harvey, tú has construido mi *swing* desde los pies hasta la cabeza, pero nunca hasta ahora me habías mencionado el giro de los hombros –me dijo un día–. ¿Cómo es posible?

—Tú ya tenías un buen giro natural de hombros, Kathy –le dije–. No necesitabas oír hablar de ello.

---

[32] Colegio que comprende los dos primeros años universitarios. *(N. del T.)*

El único torneo importante que Kathy no llegó a ganar fue el Abierto de los Estados Unidos; pero alcanzó la Sala de la Fama sin él. No existe en la tierra una persona más agradable que Kathy y estoy seguro de que va a ser famosa también como profesora.

BETSY RAWLS

Betsy Rawls llegó a la Universidad de Texas con una empuñadura muy "fuerte", con ambas manos giradas hacia la derecha. Era una jugadora de mucho talento que adoraba el golf y a quien, gradualmente, le fui cambiando la empuñadura. Betsy mejoró deprisa. Pronto ganó el torneo de la ciudad de Austin, seguido del Campeonato Amateur de Texas.

Le enseñé que debía aprender a jugar al golf en todo tipo de campos, buenos y malos, y con todo tipo de personas. A cambio, yo también aprendí mucho de Betsy; era *Phi Beta Kappa*[33] en Física.

Una cosa que aprendí de Betsy es que no bastan buenos golpes para ganar torneos de golf. Hay muchos otros aspectos importantes, que se hacen aún más importantes cuando empiezas a competir contra todo el mundo.

Cuando Betsy seleccionaba un palo sabía que era el palo correcto, sin ninguna indecisión. Sucedía lo mismo cuando decidía el tipo de golpe: *pitch* o *chip*, *hook* o *fade,* lo que fuera. También sabía que el jugador en mejores condiciones físicas tenía ventaja, especialmente en el

---

[33] Agrupación de antiguos alumnos sobresalientes en las universidades americanas. *(N. del T.)*

último día del torneo. Ella se mantenía siempre en buena forma con una dieta saludable y correcta.

En los torneos, Betsy era capaz de acercarse a saludar a alguien y regresar luego a su golpe con total concentración. Una vez discutimos si era mejor que yo, como entrenador, la presionara o si sólo debía hacerle saber que esperaba de ella una mejora. Ella prefería esto último, y yo seguí su consejo con ella y con muchos otros jugadores a los que entrené. También aprendí de Betsy a no dar al alumno demasiadas cosas en las que pensar en una sola clase. Fue un día en que estaba enseñándole dos o tres cosas al mismo tiempo.

—Harvey, vamos a aprender una o dos cosas esta semana, y guardemos la tercera para la semana que viene –me dijo.

Aquello fue una verdadera lección de golf para mí. Si una golfista *Phi Beta Kappa* del gran talento de Betsy no se podía concentrar en más de dos cosas al mismo tiempo, ¿qué oportunidad puede tener un alumno corriente? Aquello se convirtió en la piedra angular de mi método de enseñanza: una cosa cada vez.

Las pocas veces que se salía de juego, Betsy empezaba a golpear "pushes" hacia la derecha. Pero siempre conseguimos corregirlo. Betsy ganó cuatro Abiertos de los Estados Unidos y alcanzó la Sala de la Fama. Además, cada año se juega en Austin un importante torneo femenino interuniversitario con su nombre, en el que participan jugadoras de todo el país.

Para mí, Betsy fue una alumna ideal. Tenía sentido común y la fuerza de voluntad suficiente para ejecutar con éxito cualquier golpe que fuera importante, ya fuera un *drive* o un "pat".

MICKEY WRIGHT

Mickey Wright era ya una buena jugadora cuando llegó a mí. Estaba en el circuito profesional, pero no ganaba a pesar del excelente *swing* que había aprendido en California, al estilo de Alex Morrison. Yo nunca me atreví a cambiárselo. Pero Mickey pensaba que jamás debía fallar un golpe. Intenté ayudarle a darse cuenta de que todos somos humanos, y a no ser demasiado dura consigo misma.

Su pasatiempo favorito era ir a Fort Worth y sentarse a ver practicar a Ben Hogan. Le preguntó a Hogan si le importaba y él contestó:

—No, mientras no diga usted nada.

Mickey movía el pie izquierdo de forma un poco diferente a la mayoría de los jugadores que han tenido un buen *swing*. En lugar de despegar el talón del suelo al subir el palo dejaba rodar todo el pie hacia adentro, a lo Alex Morrison. Aún me emociona recordar a Mickey y su precioso *swing*.

Era una jugadora de manos vivas, mi tipo favorito. Ya no se ve tanto a este tipo de jugadores, capaces de fustigar el palo a través de la bola. Entre los hombres, Don January, Ray Mangrum y Chi Chi Rodríguez son los que tienen las manos más vivas que he visto. Entre las mujeres, Mickey era la mejor, y Kathy Whitworth estaba cerca. Me encanta ver repartir naipes a los jugadores de manos vivas; ver esos dedos mover las cartas y lanzarlas.

Mickey ganó tres Abiertos de los Estados Unidos y también entró en la Sala de la Fama. Algunos dicen que Babe Didrickson Zaharias fue la mejor golfista que ha habido nunca, pero yo apuesto por Mickey. Mickey tenía todos los golpes. Podía hacer 62 golpes en cualquier buen campo de golf, aunque hiciera viento.

Hace algunos años, Mickey y Kathy Whitworth formaron pareja contra las parejas masculinas en el Torneo Senior de *The Legends of Golf,* en Austin. Ellas fueron muy populares entre el público, pero a los hombres no les gustó que estuvieran en la competición y no se las invitó a volver.

La primera vez que vi a Mickey hacer un *swing* le pregunté de dónde había sacado ese maravilloso *follow-through.* Ella sacó una goma elástica de su bolsa y me enseñó cómo practicaba con la goma alrededor de los codos, manteniéndolos próximos.

La primera persona a la que yo había visto utilizar una goma elástica fue Abe Mitchell, un inglés de finales de los años veinte y treinta, que pegaba muy fuerte a la bola. Es un excelente artilugio de entrenamiento. Si alguna vez va usted a Broadmoor, en Colorado, y le da clase la magnífica profesora Mary Lena Faulk –una de mis mejores alumnas–, apuesto a que le pone una goma elástica alrededor de los codos.

Cualquier cosa que le pueda ayudar a hacer un *swing* como el de Mickey Wright es algo que siempre interesa probar.

JUDY KIMBALL

Judy Kimball Simon fue una de mis alumnas favoritas, que todavía viene a visitarnos en su avión particular desde su casa en North Platte, Nebraska.

Entre sus muchas victorias, ganó el torneo de la LPGA en Las Vegas.

Judy era la mejor pateadora de entre todas mis alumnas. Durante muchos años mantuvo el récord de la LPGA de menor número de "pats" en un recorrido de 18 hoyos: 19 "pats" creo que eran.

Muchas veces veía a Judy y a Tom Kite entrenarse "pateando" un recorrido de hoyos tras otro en el *putting-green*.

Una vez, Ben Crenshaw necesitaba un avión para reconocer un terreno en el que deseaba construir un campo de golf en Nebraska. Ben llamó al número que alguien le dio y explicó su problema.

—Muy bien, Ben –le dijo una voz de mujer–, has llamado a la persona adecuada. Te conozco desde que teníamos ocho años. Naturalmente, era Judy Kimball, pero tras casarse se apellidaba Simon.

BABE DIDRICKSON ZAHARIAS

Yo jugué contra Babe en su primera exhibición como profesional. Ella formó pareja con Al Espinosa, un profesional que estuvo en el equipo americano de la Ryder Cup, y a mí me emparejaron con el dulce y suave *swing* de Vola Mae Odom, una socia del club.

Babe nos dio una exhibición de su tradicional agudeza verbal y de sus *drives*, largos y desviados, todo lo cual entretuvo mucho a los espectadores. Recuerdo uno de sus golpes, en el hoyo 3: fue un hierro 7 medio "topado" que cayó en el *green* y la bola rodó hasta el otro lado.

—Estos *greens* no sujetan bien la bola, ¿verdad Harvey? –me dijo, y los espectadores se echaron a reír.

Entre el público había un juez de la Corte Suprema. Babe se volvía hacia él después de algún golpe y le decía:

—¿Qué te ha parecido ésa, juez?

Babe siempre atraía grandes cantidades de espectadores y yo disfrutaba mucho con ella. De alguna forma les podía decir a las otras jugadoras: "Voy a ganar este torneo", y conseguir que no se molestaran.

Pegaba siempre los golpes de salida más largos que ninguna otra mujer hasta que apareció Laura Davies, esta inglesa de nuestros días. Pero Babe no siempre sabía dónde iban a terminar sus *drives*.

Era una atleta superior en todos los aspectos, tan buena en atletismo, en *soft-ball*[34] o en baloncesto, como lo era en golf. Babe fue, probablemente, la mejor atleta que haya existido, y la segunda mejor jugadora de golf después de Mickey Wright.

Cuando Babe murió de cáncer, a una edad trágicamente temprana, hice una larga visita en Florida a su marido, George, que había dejado su carrera de luchador profesional para convertirse en el *manager* de su esposa. George estaba tan enamorado de Babe como ella de él, y se echó a llorar mientras hablábamos de ella.

Babe solía atribuirme parte del mérito de su éxito, pero yo nunca merecí ninguno. Se hizo a sí misma como jugadora.

SANDRA PALMER, BETTY HICKS, BETTY DODD Y MÁS...

Sandra Palmer vino a verme desde Fort Worth siguiendo el consejo de Betsy Rawls. Fue adoptada por dos personas encantadoras que eran socios de Glen

---

[34] Juego similar al béisbol. Su principal diferencia es que se juega con una pelota más grande, y que el lanzamiento no puede realizarse por encima del hombro. *(N. del T.)*

Garden, donde empezó a ser una buena jugadora después de haber trabajado como *caddie* y también en un puesto de hamburguesas.

Sandra fue siempre muy popular. Tenía una personalidad maravillosa que le ayudó a ser *cheerleader* –animadora– y *Homecoming Queen*[35] en North Texas State.

Cuando Betsy me la envió, Sandra tenía veintitrés años y era profesora en un colegio de Fort Worth. Durante todo un año condujo hasta Austin cada semana para que yo la ayudara, lloviera o hiciera sol, y con frecuencia se quedaba en casa con Helen y conmigo. Es una gran amiga nuestra.

Al principió noté que su subida era tan rápida que le hacía soltar el palo en lo alto del *swing*. Para evitarlo, algunos profesores dicen a sus alumnos que aprieten con los dos últimos dedos de la mano izquierda. Eso era lo que solía enseñar yo hasta que descubrí que esto hace perder demasiada distancia. En lugar de eso ayudé a Sandra a aflojar su empuñadura y ralentizar la subida. Fue difícil para ella, pero lo conseguimos.

Cuando iba camino al hoyo 1, a iniciar su *play off* contra JoAnne Carner en el Open USA de 1976, Sandra le dijo a la grandullona Carner:

—*Big Mama*, esta vez te voy a ganar.

—No "gambita", no lo vas a hacer –le contestó Carner.

Carner ganó, y cada una se quedó con sus apodos para siempre.

Me entusiasmó en 1975 verla en televisión metiendo el golpe de *bunker* para ganar el torneo Dinah Shore[36].

---

[35] Reina de la Fiesta de Bienvenida. Se concede a los alumnos y alumnas de último año del colegio o de la universidad a través de una votación previa entre todos sus compañeros. A la fiesta pueden asistir también antiguos alumnos. *(N. del T.)*

[36] Uno de los cuatro torneos que componen el Grand Slam de golf femenino. *(N. del T.)*

Creo que Sandra ayudó a cambiar la imagen del circuito femenino. Todo el mundo la quiere.

A la pequeña Alice Ritzman, una chica de Montana, me la envió Warren Smith, el profesional de Cherry Hills, en Denver, y empezó trabajando con Tinsley en nuestra tienda de golf. Hice todo lo imaginable para conseguir que ganara distancia, incluido cambiarle a una empuñadura de diez dedos, y se incorporó al circuito[37].

Cindy Figg-Currier es otra de mis alumnas favoritas. Ha desarrollado un juego corto maravilloso y deberá tener una gran carrera como profesional.

Una de mis mejores alumnas y una de las personas más encantadoras que he conocido era Mary Lena Faulk, que da clases en Broadmoor. Mary Lena era la jugadora más precisa del circuito desde 160 metros. Le acorté una madera 5 para que alcanzara justo esa distancia, y aprendió a poner la bola más cerca del hoyo con ese palo que cualquier otro con un hierro 4.

Betty Dodd venía a verme a menudo para que le diera clase. Su padre era un coronel del Ejército en Fort Sam Houston, en San Antonio. Un día, el coronel me estaba viendo con Betty en el campo de prácticas.

—¿Preferirías que te conocieran como "Betty Dodd, la de *swing* bonito" o como "la pelirroja que le pega largo"? –le pregunté a ella.

—Yo responderé a eso –dijo el coronel Dodd–. Quiere ser "la pelirroja que le pega largo".

---

[37] Ritzman no ha ganado todavía (1994) ningún torneo, pero ya ha superado el millón doscientos mil dólares en ganancias. *(N. del T.)*

Betty Dodd era amiga de los Babe. Solían cantar y tocar música juntos.

Betsy Rawls me envió a Betty Hicks. Betty era ya una buena jugadora que había ganado el Campeonato Amateur de los Estados Unidos. Tenía un *swing* muy largo y suelto, pero solía perder el control al terminar de subir el palo. Cuando le pasaba esto hacía un *hook* feísimo. Le dije, con todo mi buen humor, que al hacer esto parecía que movía el palo como la cola de una vaca vieja. No quise herir sus sentimientos, pero me dijo (bromeando, espero) que nunca me perdonaría.

Pensé que habíamos curado su *hook* hasta un día en que estábamos dando una clase en el campo y, en el octavo hoyo, le salió un golpe muy desviado. Se puso furiosa y, naturalmente, después de ese golpe dio otro *hook* muy desviado.

—¿Desde cuándo te enfadas de esa manera? –le pregunté.

—Desde siempre –respondió.

Betty creció en California y cuando era niña aprendió con Jackson Bradley. Después de su carrera profesional entrenó un equipo de golf en San José, donde también enseña a la gente a volar avionetas. Es muy lista y una de las mejores escritoras de golf que he conocido.

He tenido tantas alumnas buenas jugadoras que no puedo nombrarlas a todas, pero las recuerdo con cariño.

Una de mis pertenencias más valiosas es un reloj de pulsera con la siguiente frase grabada: "De parte de las chicas de Harvey." Me lo regalaron Betsy Rawls, Mickey Wright y Betsy Cullen, que es ahora profesora en Houston.

Y algunos de los hombres en mi vida

BEN HOGAN

En una ocasión estaba yo jugando un partido con fines caritativos en Austin con Ben Hogan, cuando le oí preguntar a su *caddie*:

—¿Hacia dónde está el Oeste?

Para mí fue una sorpresa escuchar a Hogan hacerle una pregunta a su *caddie*. Él pensaba que conocía su propio juego mejor que ningún *caddie*. Siempre calculaba sus propias distancias y el palo que necesitaba.

Durante todo el día me estuve preguntando por qué Ben habría hecho esa pregunta, y al terminar el partido se lo comenté.

—Siempre que no haya ningún factor que obligue a lo contrario, cualquier bola en un *green* cae siempre hacia el Oeste –dijo Ben.

Tenía razón, por supuesto. Más tarde descubrí que hay muchas razones que ratifican esta afirmación; a menos que el arquitecto haya diseñado el *green* para engañarnos, los "pats" caerán hacia el Oeste.

Ben hacía un *hook* horrible cuando era joven. Lo solucionó él solo. Cambió la forma de coger el palo, giran-

do la mano derecha hasta que la V apuntaba a su barbilla.

Él decía que el secreto de su *swing* era la *pronación,* o
girar el antebrazo hacia adentro al subir el palo. Esto le
colocaba por dentro de la bola y le permitía dar un latigazo sobre la bola al "desgirar" el antebrazo –o, probablemente, todo su brazo izquierdo– al tirar del palo por
la zona del impacto.

Ben perfeccionó su *swing* practicando durante miles
de horas. Al principio notaba que su *swing* era demasiado largo, así que cambió su colocación para acortarlo un
poco; adoptó lo que se conoce como "la colocación de
Hogan": el pie derecho perpendicular a la línea de tiro y
el izquierdo unos centímetros abierto. Cada uno de estos cambios acorta la amplitud de su subida.

A mí me gustan los *swings* largos si se mantienen bajo
control. Ben, desde luego, aprendió a controlarlo.

Jimmy Demaret y Hogan se hicieron muy buenos
amigos. Jimmy me dijo que telefoneó a Hogan antes del
primer torneo *The Legends of Golf Senior* para pedirle
que fuera su compañero, pero Ben le replicó que no estaba jugando demasiado bien.

—Venga, divirtámonos como en los viejos tiempos
–dijo Jimmy.

—No, no podría ayudarte –respondió Hogan.

—¿Y qué? –le dijo Jimmy–. Nunca lo hiciste.

BYRON NELSON

Byron Nelson me ha enviado muchos alumnos a lo
largo de los años.

Él fue un jugador autodidacto que progresó gracias a

la ayuda de uno de los jugadores *amateur* de Texas más respetados, J. K. Wadley, de Texarkana. Wadley era un caballero muy rico que adoraba el golf; vio la brillantez de Byron y le proporcionó un buen trabajo junto a Don Morphy, en el Texarkana Country Club, en una época en la que aquel campo estaba considerado como uno de los diez mejores de Texas.

Cuando Byron Nelson, Ben Hogan y Jimmy Demaret –todos de Texas– eran los mejores golfistas del país, yo era presidente de la PGA de Texas y aproveché para estudiar de cerca sus *swings*.

Nelson, Hogan y Demaret podían pegar *drives* tan largos como los de Jimmy Thompson o de cualquier otro de los grandes pegadores si querían. Pero preferían jugar dentro de sus posibilidades, guardando siempre algo de energía como reserva.

Byron descubrió que una de las cosas que le ayudaba a hacer un *swing* más efectivo era no quebrar las muñecas al final de la subida. Lo llamaba "no-pronar". Dejó de pronar en 1930, cuando empezó a jugar con varillas de acero. Fue entonces cuando comenzó a subir el palo "cuadrado" hacia atrás, sin abrir la cara ni girarla. Él notaba que, al no pronar, mantenía la cara del palo más tiempo en la línea adecuada, y decía que cuando dejó de pronar aprendió a utilizar sus pies y sus piernas para hacer un *swing* completo sin girar las manos.

Yo creo que aquel movimiento lateral que hacía Byron era lo que le ayudaba a sacar "chuletas" de hierba tan finas que parecían billetes de un dólar. No exagero; sus "chuletas" eran de las pocas que he visto nunca exactamente con esa forma.

JIMMY DEMARET

Cuando Jimmy Demaret jugaba, podía presentar una mayor variedad de golpes que ningún otro jugador que haya ganado grandes campeonatos profesionales. Sólo un artista de golpes de truco tan increíble como Joe Kirkwood podría dar tantos golpes diferentes como Jimmy: bajos, altos, *hook*, *slice*, lo que quisiera.

Jimmy tenía los antebrazos de un gigante y era capaz de hacer lo que él llamaba un "golpe de codorniz", que no se levantaba más de 60 ó 90 centímetros del suelo en toda la trayectoria.

Cuando yo era joven también desarrollé unos antebrazos y unas manos tremendamente fuertes, porque todos los días tenía que coger la bolsa de cada socio y pulir sus hierros para evitar que se oxidaran. Pero nunca fui tan fuerte como Demaret.

Cuando era joven aprendió a jugar bajo el viento y la lluvia de Offat's Bayou, en Galveston Island. Por eso, en invierno podía ganar a cualquiera, en aquel tiempo frío y lluvioso y con viento muy fuerte. En aquella época, Demaret tenía uno de los mejores *swings* que hayan existido, pero con el tiempo su *swing* se acortó, aunque siempre tuvo mucho estilo. Demaret y Walter Hagen elevaron el bajo nivel de respeto que existía hacia los profesionales de golf antes de que ellos aparecieran.

Él tuvo una gran influencia en mi forma de enseñar. Un día dijo casualmente: "Me gusta la forma en que aquellos niños mantienen los codos enfrente del cuerpo durante todo el *swing*", y ese detalle se convirtió en uno de mis fundamentos de enseñanza.

A Jimmy le encantaba bromear con la gente, especialmente con los más serios, como su amigo Hogan. Un día

143

estaban jugando juntos, poco después de que Hogan hubiera publicado un artículo en el que decía que para mantener el plano ideal del *swing* había que subir y bajar el palo como si uno tuviera un panel de cristal apoyado sobre los hombros e inclinado hasta la bola.

En un momento en el que Ben dio un mal golpe, Jimmy le dijo:

—Ben, ¿has oído romperse el cristal?

Jimmy siempre mantenía un aspecto relajado, pulcro y despreocupado, incluso en el campo de golf. Pero no permita que eso le engañe; jugaba para ganar.

BOBBY JONES

Bobby Jones dio el mejor golpe que yo he visto nunca en un torneo de golf. Yo iba jugando en el partido detrás del suyo durante el Southern Open, en el campo de East Lake, en Atlanta. Lo vi con claridad.

En el séptimo hoyo hay un gran barranco a la derecha del *green,* con una hondonada de hierba al fondo. El tiempo estaba siendo muy desagradable y, de repente, empezaron a caer bolas de granizo tan grandes como canicas. Jones había enviado su bola al fondo de la hondonada de hierba, pero su siguiente golpe dejó la bola justo en la cima del barranco, donde resultaba difícil distinguirla del granizo. A pesar de eso, Jones "chipeó" entre el granizo e hizo rodar la bola hasta el interior del hoyo para salvar el par.

Jones siempre parecía encontrar la manera de hacer lo que fuera necesario. Jack Burke, Sr., decía que para ganar un torneo es preciso que el Señor te ponga la mano sobre la cabeza. Eso es lo que parecía sucederle a Jones una y otra vez. Bobby ni siquiera jugaba a menudo. Guardaba los palos durante el verano, cuando hacía calor, y los sacaba justo a tiempo para entrenarse de cara a los grandes torneos que, con tanta frecuencia, ganaba. Apenas llegó a jugar en la universidad.

Por eso siempre he dicho que el mejor profesor de todos debe de haber sido Stewart Maiden, de East Lake. Porque él enseñó a Jones y a Glenna Collet Vare[38]. Sin embargo, Stewart nunca le dio a Bobby una clase formal de golf. Sólo se acercaba a verle en el campo de prácticas y le decía algo así como: "No se le pega a la bola con la subida, muchacho", queriendo decir que la subida debe realizarse con suavidad, y guardar la energía para tirar del palo hacia la bola.

Bobby y su padre tenían un carácter muy fuerte. Un día que estaban jugando juntos, su padre dio un mal golpe y sacudió el palo contra el suelo. A continuación hizo un *swing* de prácticas y preguntó:

— A ver, ¿qué es lo que tiene de malo este *swing*?

—Nada –le contestó Bobby–. Podías intentar hacerlo con la bola alguna vez.

La varilla del famoso "pat" de Bobby, *Calamity Jane*[39], tenía un montón de cinta adhesiva y de pegamento porque Jones lo rompía de vez en cuando. *Calamity Jane* tenía los grados de un hierro 2, que era lo que se necesitaba para los *greens* tan irregulares y con tanta hierba de aquellos días. Su *swing* de "pat" era largo y suave, como el de Ben Crenshaw, pero Bobby giraba la cara del

---

[38] Dominó el golf femenino en los años veinte y treinta. Estaba considerada como la "Bobby Jones" entre las mujeres. *(N. del T.)*

[39] Lo llamaba así en honor de una heroína del Lejano Oeste. Con él ganó, en 1930, los cuatro campeonatos más importantes del mundo entonces: los campeonatos abiertos y amateur británicos y de los Estados Unidos. *(N. del T.)*

"pat" durante la subida, abriéndola, y la cerraba luego durante el impacto.

Como otros muchos jugadores de la época, Bobby procuraba que las caras de sus palos estuvieran muy rojas y agujereadas de óxido. Esto prolongaba el contacto de la bola con el palo y proporcionaba un mayor control.

Bobby hizo una serie de cortometrajes para unos estudios de Hollywood. Gracias a eso, su *swing* ha sido preservado en película y lo han podido estudiar golfistas de todos los niveles. Él jugaba con los pies muy juntos, incluso en los golpes largos, y eso le hacía más sencillo girar. En los días de viento esto podía desequilibrar a la mayoría de los jugadores, pero no a Jones.

En lo alto del *swing*, parecía que Jones estuviera ondeando una bandera. Su *swing* era largo y suave, con un pequeño lazo en lo alto que traía al palo hacia la bola por dentro. La gente creía que aflojaba las manos, pero no era así. Simplemente cogía el palo con suavidad de manera que, según decía, "podía dar un pequeño latigazo con el *swing*". En el impacto se colocaba de puntillas pero mantenía perfectamente el equilibrio. La prolongación de su *swing* era "de libro", siempre con los codos delante de su cuerpo.

"Sólo hay que girar hacia atrás y hacia adelante", decía. Con lo que hacía creer en un juego terriblemente fácil.

La gente habla del *swing* "relajado" de Bobby Jones, pero si tiene ocasión mire en alguna fotografía la cara de Jones en el impacto. Se puede ver el ceño fruncido por el esfuerzo intenso y la concentración.

SAM SNEAD

Sam jugaba ese tipo de golpe bajo que parecía el disparo de una bala. Para conseguir la máxima distancia, ya sea en el lanzamiento de martillo, con una carabina o con un cañón, hay que disparar en un ángulo de 45 grados. Eso es lo que la mayoría intentamos hacer. Pero Sam hacía volar esa bala golpeando un poco hacia abajo sobre la bola, utilizando en los golpes de salida una madera 1 con los ángulos de un *brassie* [40].

La gente siempre decía que Sam apuntaba muy hacia la derecha, y era verdad. Una vez, jugando el Masters, otro profesional le dijo:

—Sam, estás apuntando hacia mi *caddie*.

—No, estoy apuntando hacia mi propio *caddie*, le respondió Snead.

Para él esa forma de apuntar era perfecta. Apuntaba un poco a la derecha y luego "hookeaba" la bola. Yo intenté que Darrell Royal jugara al estilo de Snead, pero a él le parecía que estaba apuntando demasiado a la derecha y no aceptaba lo que yo le decía. Fue una casualidad que en el *pro-am* del *The Legends of Golf,* emparejaran a Darrell con Snead. Darrell vino luego a verme y me dijo: "Quiero pedirte disculpas. No creía que Sam pudiera de verdad apuntar tan a la derecha, pero me pasé todo el día detrás de él, y tenías razón."

Sam tenía también una agilidad impresionante. Con los pies quietos era capaz de saltar y dar una patada al techo.

Jimmy Thompson me solía decir que él siempre pegaba más largo de salida que Sam en los días tranquilos o

---

[40] Un palo de madera que ya no se emplea, y que entonces se caracterizaba por tener una placa de latón en la base. Su cara tenía un ángulo equivalente a una madera 2 de hoy en día. *(N. del T.)*

con el viento a favor. Pero cuando había viento en contra Sam estaba siempre por delante.

Verle jugar me convenció de que debía hacerme profesor, y siempre he sido un gran admirador suyo.

RALPH GULDAHL

Durante unos tres años, a mediados de los años treinta, Ralph Guldahl –de Cedar Crest, en Dallas– fue probablemente el mejor jugador del mundo; pero no consiguió toda la reputación que merecía entre el público porque no tenía demasiado encanto y no se mantuvo en la cima de la competición durante el tiempo suficiente.

Ralph ganó dos Open USA y tres Western Open, en un momento en el que el Western Open estaba considerado como uno de los grandes torneos de la temporada. Como *amateur* jugó en el equipo de la Walker Cup, y casi ganó otro Open USA cuando era sólo un joven profesional, pero perdió por un golpe contra Johnny Goodman, un *amateur,* después de que Ralph recuperara cinco golpes en los últimos dieciocho hoyos.

El *swing* de Ralph era corto y compacto, y pegaba a la bola muy recta. Su personalidad y su estilo de juego –en ambos casos, estilo tranquilo y conservador– no consiguieron encandilar al público. Ralph no hacía demasiados amigos y, probablemente, yo fuera la persona más cercana a él. Muchos años después me confesó que yo había sido su modelo cuando él era joven.

Su juego se deterioró después de aceptar un trabajo como director de la Escuela de Golf en un club de St. Louis. Su esposa y él terminaron dedicándose por completo a criar caballos de carreras.

JACK NICKLAUS

No puedo atribuirme ningún mérito por Jack Nicklaus, pero es el mejor jugador de la historia y he procurado observarle de cerca.

La mayoría de la gente decía que el joven Nicklaus no iba a jugar bien con ese codo derecho subiendo tan separado del cuerpo. Pero al comienzo de la bajada lo coloca junto a su costado. También decían que no se puede jugar bien al golf levantando el talón izquierdo tanto como lo hace él, pero se equivocan. No creo que lo levante más de lo que lo hacía Bobby Jones. Levantar el talón izquierdo le proporciona a Nicklaus un buen giro y una postura cómoda en lo alto del *swing*.

Aunque ha sido el mejor jugador que ha existido, Nicklaus tuvo que asistir de joven como todos los profesionales de la época a la Escuela de la PGA, de la que Byron Nelson y yo éramos profesores. Byron y yo pensamos en seguida que Jack estaba muy por encima de los otros cincuenta alumnos de la escuela. No tenía puntos flacos que corregir en ningún aspecto de su juego.

Un *swing* como el suyo durará el resto de su vida.

TOM KITE

De pequeño, Tom practicaba durante mucho tiempo todas las facetas del juego. Es una persona muy analítica y un perfeccionista total.

Un día me pidió que le viera jugar hierros largos a *green*. Me parecieron perfectos y le pregunté:

—¿Qué hay de malo en ellos?

—Vuelan unos treinta centímetros más altos de lo que deberían –me respondió Tommy.

En otra ocasión, mientras estábamos jugando, Tommy jugó un hierro 7 algo más de un metro corto del hoyo y frunció el ceño.

—¿Qué hay de malo en ese golpe? –pregunté.

—Que he calculado mal el viento, o tal vez la humedad del *green* –respondió.

Yo estimulaba a Tommy con juegos mientras practicaba. Le decía que apuntara a una canasta en el campo de prácticas, y que metiera una bola en ella con *draw* y la siguiente con *fade*.

El campo de prácticas en nuestro viejo club de Riverside Drive estaba junto al camino de cochecitos que llevaba al *tee* del 1. A veces detenía a los grupos de jugadores que pasaban por allí y les decía:

—Mirad esto. ¡Eh, Tommy, mete la bola en la canasta con *fade*! –Eso le ponía presión a Tom, pero la mayor parte de las veces conseguía su objetivo.

Los chicos que practican mucho pero juegan poco no aprenden a hacer buenos resultados. Yo me aseguré de que Tommy jugara y fuera al campo de prácticas tanto como necesitara. Con su *swing* sólido y compacto y su buen juego corto, Tommy aprendió en seguida el verdadero secreto del golf: meter la bola en el hoyo con un menor número de golpes. Tiene habilidad y arte para conseguir buenos resultados.

Recuerdo un torneo de la NCAA[41] en el que nuestro equipo de la Universidad de Texas estaba a siete golpes de los líderes al comenzar el último día. Tommy empezó

---

[41] Competición nacional universitaria *(National College Athletic Association)*. *(N. del T.)*

sus siete primeros hoyos con seis bajo par, inspiró al resto del equipo y Texas ganó el título.

Me alegré mucho por Tommy cuando, en su último año empató por el título individual de la NCAA. De hecho, me alegré doblemente, porque el chico con quien empató era Ben Crenshaw.

Durante todos los años que les he enseñado, nunca he dejado que Tommy me viera con Ben, ni que Ben me viera con Tommy. Lo que sirve para uno no sirve para el otro.

BEN CRENSHAW

Ben tenía unos ocho años de edad cuando me lo trajeron. Le corté un hierro 7, le enseñé a coger el palo y salimos a jugar. Había un *green* a unos 75 metros y le pedí a Ben que colocara una bola sobre un *tee* y que la golpeara hacia el *green*. Lo consiguió.

—Ahora vamos al *green* y metamos la bola en el hoyo –le dije.

—Si querías que metiera la bola en el hoyo, ¿por qué no me lo dijiste al principio? –contestó el pequeño Ben.

La madre de Ben era una buena pianista. Puede que él haya heredado de ella su extraordinario sentido de "toque". Su padre, Charles, era un atleta muy bueno.

El *swing* natural de Ben es largo y suave, y utiliza sobre todo los hombros. Yo le animaba a jugar al golf siempre que se lo pidiera el corazón, y a practicar sólo cuando necesitara ayuda.

Ben es un atleta excelente. Un día estaba jugando con otros tres buenos golfistas en un campo muy difícil, en

151

Horseshoe Bay, y Ben iba ganando a falta de seis hoyos. Entonces dijo a los otros que jugaría con la zurda el resto del recorrido. Hizo el par en esos seis hoyos.

He llegado a ver a Ben en el campo de golf en días tan fríos que era el único que estaba jugando. Ganaba un torneo del colegio y en seguida se iba a jugar otra vez.

Su hermano mayor, Charles, tenía tanto talento como Ben cuando era niño, pero destacaba también en otros deportes y no se concentró en el golf. Charles desarrolló músculos poco apropiados para el golf, que son muy difíciles de eliminar. Ahora tiene unos cuarenta años y todavía puede hacer 73 golpes desde los *tees* de profesionales en el Austin Country Club, que no es un logro pequeño.

A mí me hizo muy feliz que Ben dejara los otros deportes y se dedicara plenamente al golf. Su victoria en el Masters de 1984 es una de las más populares de todos los tiempos.

Quiero a Ben y a Tommy como a mis propios hijos.

MIS *SWINGS* FAVORITOS

Desde los días de MacDonald Smith, mis *swings* favoritos son los de:

1. Ben Crenshaw
2. Mickey Wright
3. Dave Marr
4. Al Geiberger

Cuando yo entrenaba en Texas, decía a mis jugadores que imitaran el *swing* de Dave Marr más que el de ningún otro golfista.

Ahora que ya no puedo salir solo al campo, intento ver todo el golf que den por televisión. Confieso que prefiero ver jugar a los *seniors* que a los miembros del Circuito PGA, porque veo mejores *swings* en el circuito senior. Esos viejos personajes tienen *swings* que han soportado la prueba del tiempo.

Muchos jugadores modernos se basan en la potencia. Mantienen el talón izquierdo en el suelo (algunos piensan que no, pero la hierba les engaña) y utilizan los músculos grandes de la espalda a costa de los brazos y las manos para hacer un *swing* tan fuerte que terminan con el palo enrollado alrededor del cuerpo, en lugar de terminar con las manos altas y con los codos por delante.

He visto algunos maravillosos jóvenes jugadores en el circuito, pero también veo a muchos que dentro de poco tiempo terminarán ganándose la vida de otra manera.

Los sexos

Ninguna mujer guapa puede fallar un solo golpe sin que llegue un hombre a darle algún mal consejo.

Un marido no debería nunca intentar enseñar a su esposa a jugar al golf, ni a conducir un coche. Una esposa nunca debe intentar enseñar a su marido a jugar al *bridge.*

Una norma
de entrenamiento

Nunca practique el *swing* completo cuando el viento le dé en la espalda. Si usted es diestro, esto significa que el viento viene de izquierda a derecha. Cuanto más practique con el viento soplando de izquierda a derecha más tenderá a golpear desde arriba y a hacer el *swing* de fuera adentro, a través de la línea de tiro.

Ben Hogan fue uno de los primeros en darse cuenta de esto. Ben buscaba siempre una zona en el campo de prácticas donde el viento le diera en la cara, bien de derecha a izquierda o directamente de frente, y ahí es donde practicaba.

Si practica contra el viento, utilice su *swing* normal; no intente pegar más fuerte a la bola. Y, por favor, tenga cuidado de no entrenar demasiados golpes bajos. En ese tipo de golpes no hay *follow-through* hacia adelante.

John Bredemus

John Bredemus fue una persona realmente increíble, y estoy orgulloso de decir que fue mi amigo.

Puede que yo haya conocido a John mejor que ninguna otra persona. Era un solitario que vivía gastando muy poco en habitaciones en las que había más libros que muebles. Cuando murió de un ataque al corazón en Abilene, en 1946, su familia, que vivía en el Este, no tenía ya nada que ver con él. Le iban a enterrar en una fosa común, pero Murray Brooks, un profesional de Brackenridge Park, hizo una colecta entre los miembros de la PGA de Texas para pagarle el entierro.

La gente vino al funeral a observar el interior del ataúd para ver si le estaban enterrando con las medallas de oro de Jim Thorpe. Desde 1913 hasta su muerte, a John le conocían muchos como "el hombre que se quedó con las medallas de oro de Jim Thorpe". Nadie encontró nunca esas medallas de oro y puede que yo sea la única persona que sepa qué pasó con ellas.

Si se hiciera una película de la historia de John, nadie la creería. Nació en Flint, Míchigan, en 1884; sus padres emigraron desde Luxemburgo. John fue al colegio en South Bend, Indiana, hasta que su padre murió cuando él tenía diez años. Le enviaron entonces a la elitista Phillips Exeter Academy, en New Hampshire, donde fue un estudiante distinguido y el capitán del equipo de fútbol americano.

Después de unos años en la Dartmouth University, John dejó los estudios para prepararse de cara a la competición nacional de la AAU *(American Athletic Union)*: diez pruebas de atletismo, como el décatlon, disputadas en un solo día. John ganó el campeonato en 1908 y posó para una estatua que colocaron en la Union Station, en Washington.

Luego se trasladó a Princeton, donde se rompió la nariz jugando como *halfback,* una posición ofensiva con la que se convirtió en la estrella del equipo. Allí siguió estudiando hasta conseguir su título de *Civil Engineer*[42] en 1912.

Aquel verano fue a Celtic Park, en Long Island, para defender su título de *All-Around* de la AAU contra el gran Jim Thorpe, que venía de ganar las medallas de oro de décatlon y de péntatlon en los Juegos Olímpicos de Estocolmo.

A pesar de la lluvia y el barro, tanto Bredemus como Thorpe batieron los antiguos récords de la competición, y Thorpe ganó por sólo 173 puntos de diferencia. Pero, en enero de 1913, el Comité Olímpico y la AAU acusaron a Thorpe de ser profesional, porque durante 1909 y 1910 había jugado en la liga de béisbol semiprofesional en Carolina del Norte, y le arrebataron las medallas.

Yo creo que la mayoría de la gente hubiera deseado que Thorpe las conservara, o que se las hubieran devuelto. Pero en lugar de eso las medallas olímpicas fueron puestas en la cámara de un banco. Las medallas en *All-Around* le fueron entregadas a John Bredemus. John aceptó las medallas y las conservó hasta poco antes de morir.

En junio de 1913, John fue nombrado director de De-

---

[42] Hoy en día, ingeniero de caminos. *(N. del T.)*

portes en Stanford Pep, en Connecticut. Luego trabajó como socorrista en Brighton Beach y aquel mismo verano empezó a jugar al golf en Van Cortland Park –el primer campo público de América, construido en el Bronx–. En 1914 ya estaba participando en competiciones.

En 1915, John empezó a utilizar su título de ingeniero con el equipo que construyó el Lido Club en Long Island, con lo que se convirtió en uno de los primeros arquitectos de golf de este país.

Un año más tarde, en 1916, se creó la PGA mediante una reunión en el Club Taplow, de Nueva York, y John fue uno de sus primeros miembros. Vino a Texas en 1919, buscando un sitio donde poder jugar al golf durante todo el año, y le contrataron como director de la *High School* de San Antonio.

El primer campo público de Texas –y en aquel tiempo todavía el único– era Brackenridge Park, en San Antonio. John se hizo un asiduo jugador y pronto le ofrecieron trabajo como Asistente de Profesional[43].

En 1920 le contrataron para construir San Felipe Springs, que todavía es un excelente campo en Del Río. John fue el primer verdadero arquitecto de golf en Texas. Antes de que él llegara, los hoyos los diseñaban los comités o los jugadores, como cuando Lewis Hancock hizo los nueve hoyos del primer Austin Country Club dando un paseo con sus amigos.

Gran parte de la información que he expuesto hasta aquí sobre John se la debo a mi amigo Francis Trimble, de la Sala de la Fama del Golf en Houston. Ahora nos acercamos al momento en que conocí personalmente a John.

---

[43] Título que en España precede al de maestro de golf. *(N. del T.)*

Él dio las primeras clases de golf en Texas; organizó el primer torneo abierto del Estado; construyó el Corpus Christi Country Club en 1923, y escribió las primeras lecciones para los periódicos de Texas. El mérito de haber soñado con el primer Open de Texas, que ganó Bob MacDonald en 1922, y de haberlo organizado suele adjudicarse al periodista deportivo Jack O'Brien, de San Antonio. Pero el genio que se ocultaba detrás de todo ello fue Bredemus. Los mejores jugadores del mundo acudieron a Texas a jugar el torneo e iniciaron así una época de prosperidad para el golf.

En 1922 fue constituida la PGA de Texas con Willie Maguire, profesional del Houston Country Club, como presidente, y Bredemus, como secretario. John propuso un Circuito de Invierno, ayudó a organizar el primer Open de Shreveport (Louisiana, 1922), el primer Open de Texas (1922), el primer Open Corpus Christi (1923), el primer Open de Houston (1924) y el primer Open de Dallas (1926).

En 1927 trajo a Cedar Crest, en Dallas, el Campeonato Nacional de la PGA, uno de los cuatro que componen hoy en día el Grand Slam de golf. Para prepararlo añadió cuarenta *bunkers* al viejo campo de Tillinghast y lo alargó varios centenares de metros.

Por entonces ya se estaban construyendo campos de golf por todo el Estado, y creo que John participaba en, más o menos, el 80 por 100 de ellos.

Nosotros contratamos a John como arquitecto para el viejo Austin Country Club en 1924, cuando cambiamos los *greens* de arena a hierba. Cada semana venía a supervisar la construcción. Entonces no había excavadoras y hacíamos el trabajo con mulas y arados pesados.

Cuando nuestro club se trasladó a Riverside Drive, pedí a John que lo diseñara. Me dijo: "Harvey, estoy trabajando en dos campos ahora mismo. No creo que os hiciera justicia si me encargara de un tercero." Entonces trajimos a Perry Maxwell para hacer el trabajo. A Perry le acababan de amputar una pierna y se movía con su pata de palo por el terreno mientras diseñaba el campo. Perry construyó algunos de los mejores *greens* que he visto nunca. Los nuestros no se han cambiado desde entonces.

John viajaba con muy poca ropa, una bolsa de libros, una bolsa de lona con siete palos, un tablero de damas y una bolsita con las piezas. Con frecuencia le veían ganando partidos de damas a Titanic Thompson, en Houston. Viajaba solo de un lado a otro del Estado, sin decir a nadie adónde iba ni en qué estaba trabajando. John construyó campos de golf sin dejar constancia de ello. No quería fama. Nadie sabía qué hacía con el dinero que ganaba. No se lo gastaba en él.

El campo más famoso de John es el Colonial Country Club, en Fort Worth, construido en 1936. Bredemus había puesto *greens* de *bent-grass*[44] en San Angelo en 1928 y en Seguin en 1935, pero cuando puso *bent-grass* en Colonial, el campo se hizo famoso por tener los primeros *greens* de *bent-grass* en Texas.

Cuando construyó Colonial quería talar un roble enorme, llamado *Big Annie,* que protegía el *green* del 17. John talaba cualquier árbol si creía que eso ayudaría al campo de golf en términos de corrientes de aire o de influencia de la luz del sol. Pero Marvin Leonard, que financiaba el proyecto, se acercó hasta allí y evitó que talaran a *Annie* cuando los trabajadores estaban ya excavando sus raíces. Cuentan que John se ofendió mucho y

---

[44] Tipo de hierba de hojas cortas, anchas y generalmente planas, ampliamente utilizadas en el golf. *(N. del T.)*

que Marvin Leonard le despidió. Pero la verdad es que John estaba enfermo y dejó la conclusión del campo en manos de su protegido, Ralph Plummer.

—¿Por qué iba a discutir con Leonard? Él era quien pagaba las facturas –me dijo John.

Muchos años más tarde, una tormenta destruyó a *Big Annie*.

Creo que llamaron a Perry Maxwell para que hiciera algunos trabajos de mejora estética en el Colonial antes del Open USA de 1941, pero el diseño del campo es de John.

En una ocasión me llevó al lugar donde estaba diseñando los segundos 18 hoyos del campo del Ridglea Country Club, en Fort Worth. "Aquí habrá un *tee,* y aquí habrá un *green",* iba diciendo. Podía dibujar todos los hoyos en su mente, mientras que yo lo más que podía imaginar y desear era no verme metido hasta las rodillas en la maleza, cubriéndome de niguas[45]. John me enseñó que son precisos los ojos de un artista para diseñar un campo y la habilidad de un ingeniero para construirlo. Él era ambas cosas.

Bredemus trabajó en muchos campos famosos de Texas que han sido atribuidos a otros, así como en muchos que llevan su nombre, como Braeburn, en Houston, por ejemplo; también el histórico Offat's Bayou, en Galveston, tristemente destruido para construir una pista de aterrizaje durante la Segunda Guerra Mundial; o Memorial Park, en Houston, el mejor campo municipal del país en aquel tiempo; y el municipal Hermann Park, en Houston, y otros muchos. Son demasiado numerosos para nombrarlos. Si no construía él un campo determi-

---

[45] Insecto americano parecido a la pulga. *(N. del T.)*

nado, era muy probable que se acercara más tarde y lo cambiara, como cuando puso *greens* de hierba en lugar de arena en nuestro Austin Country Club.

Él y yo conducíamos una noche bajo la lluvia, desde Louisiana, y nuestro coche se quedó estancado en el barro en Liberty[46], Texas. John saltó del coche y gritó: "¡Si esto es *liberty,* prefiero la muerte!"

Hacia el final de su vida, John fue el director de la escuela de golf en Hermann Park, en Houston. Visitaba a los Burke, en River Oaks, y se sentaba bajo los árboles a jugar a las damas con los socios. Pero nunca entraba en el club; decía que no se sentía a gusto entre la gente de dentro.

Una vez que le pregunté cuál era su deporte favorito cuando era joven me respondió:

—Harvey, la vez que más me he divertido ha sido saltando entre los vagones del tren en mi ciudad, y saludando a la gente mientras pasaba.

John me enseñó las medallas de Thorpe no mucho antes de morir. Las llevaba en una caja de puros.

—¿Sabes lo que voy a hacer por fin con estas cosas? –me dijo.

—No –contesté.

—Creo que las voy a fundir –dijo.

Eso es lo que creo que les sucedió a las medallas de oro de Jim Thorpe.

---

[46] Pueblo cuyo nombre significa libertad en español. *(N. del T.)*

Hacer *hook* y *slice*

Los *hooks* no dañan al jugador aficionado; es el *pull hook* el que hace daño.

Si el *amateur* pega a la bola de manera que vuele recta, pero hace un pequeño *hook* al final, no debe preocuparse por ello. Pero si la bola sale directamente hacia la izquierda, y luego hace *hook*, entonces el aficionado necesita la ayuda de un profesional. El primer punto en el que debe fijarse es la empuñadura. Intente que la V de una mano, o de las dos, apunte a la barbilla.

Cuando uno cura el *hook* poniendo la mano izquierda demasiado encima de la varilla, el *swing* empezará a venir por fuera de la línea de tiro y por encima de la bola. Es sólo cuestión de tiempo. Concéntrese en arrancar con su *swing* el *tee*, o en cepillar la hierba debajo de la bola. Esto le ayudará a pasar el palo hacia adelante.

Abrir la cara del palo en la colocación es prácticamente lo mismo que debilitar su empuñadura.

El jugador que hace *slice* lo pasa mucho peor que el que hace *hook*. Muchos jugadores de hándicap alto hacen *slice* con tanta regularidad que incluso cuentan con ello al apuntar. Si usted apunta pensando que va a hacer *slice*, es casi seguro que lo hará. (Si apunta para hacer *hook*, lo estará provocando también.)

Lo primero que debe hacer el jugador con *slice* es coger el palo con suavidad y observar su empuñadura. Recuerde que sólo depende de usted el hacer que la

V de cualquiera de sus manos apunte al hombro derecho.

De nuevo, arranque el *tee* o cepille la hierba para conseguir que la cara del palo pase hacia adelante. Asegúrese de que sujeta el palo con suavidad; piense en él como si fuera un delicado instrumento musical. Usted no intentaría tocar el clarinete estrujándolo, ¿verdad? Sujete el palo con idéntica suavidad durante todo el *swing*.

Una solución segura para el jugador con *slice* es imaginar que se encuentra en el campo de béisbol en *home plate*[47]. Colóquese apuntando con el cuerpo ligeramente a la derecha de la segunda base, pero apunte la cara del palo directamente a esa base. Entonces, juegue la bola por encima del *shortstop*[48]. Utilice primero un hierro 7, luego una madera 3.

Tenga cuidado de no hacer la bajada por fuera. Baje sin atravesar la línea de tiro y golpee a la bola alta y fuerte por encima del *shortstop,* rotando, si puede ser, todo el brazo izquierdo. Ésta es la mejor cura que conozco para el *slice*.

Relea esto con detenimiento y estoy seguro de que aprenderá a "hookear" la bola.

---

[47] En béisbol, base en la que se sitúa el bateador y que es la última por la que debe pasar para conseguir una carrera. *(N. del T.)*

[48] Jugador de béisbol que se sitúa retrasado a medio camino entre las dos primeras bases, un poco más cerca de la segunda. *(N. del T.)*

Extraña penalidad

Lo más vergonzoso en el golf es hacer el *swing* con la madera 1 en el *tee* de salida y no conseguir darle a la bola. La penalidad por esta humillación es un golpe.

Sin embargo, si pega un *drive* muy largo pero su bola aterriza dos centímetros fuera de límites, la penalidad es de golpe-y-distancia; es decir, dos golpes de penalidad por lo que fue casi un buen golpe de salida.

Medir la distancia

Cuando, en 1941, se jugó el Open de los Estados Unidos en el club de Colonial, me di cuenta de que habían retirado del campo algunos árboles que servían para marcar las 150 yardas que quedaban hasta el *green*. En seguida escribí a la USGA para interesarme por esos árboles, porque yo estaba pensando en plantar algunos en Austin Country Club. La USGA me contestó diciendo que plantar árboles a la altura de las marcas de 150 yardas no era ilegal, pero que no se jugaría ningún torneo de la USGA en un campo que las utilizara, porque ese tipo de ayuda al jugador no les parecía adecuado para la práctica del golf.

De manera que en lugar de árboles yo coloqué tuberías y palos blancos que se podían quitar para los campeonatos. Pero a pesar de eso me acusaron de dar a nuestros jugadores locales una ventaja sobre los visitantes.

Hoy en día, la mayoría de los clubes privados y los buenos campos municipales tienen árboles o arbustos a la altura de las 100 y las 150 yardas, y con frecuencia pintan las distancias exactas en las cabezas de los aspersores. El jugador profesional conoce hasta los últimos 30 centímetros las distancias en cada golpe. Les dan una hoja de papel diciendo exactamente dónde está la bandera en cada *green*. La confianza que reciben al conocer las distancias exactas es una gran ayuda para ellos.

Nosotros solíamos calcular las distancias a ojo, según nuestras impresiones. Ben Hogan era insuperable en eso. Al hacer un episodio de la serie de televisión *Shells's Wonderful World of Golf,* Ben miró a su tarjeta del recorrido en un par tres. Según la tarjeta había 152 yardas al centro del *green.*

—Esta tarjeta está equivocada –dijo Ben–. Son 148 yardas al centro.

Lo midieron, y Ben tenía razón.

Tom Kite también tiene un maravilloso sentido de la distancia.

Muchos jugadores envían a sus *caddies* a medir la distancia hasta el *green* desde determinados árboles o *bunkers.* Creo que fue Dean Beman, el actual director ejecutivo del Circuito PGA Tour, quien inició esta costumbre cuando era jugador. Jack Nicklaus la convirtió luego en un delicado arte.

Largo y corto

Durante una clase colectiva que estábamos dando Jack Burke, Jr., y yo alguien nos preguntó la forma de jugar a bandera con un hierro largo.

—Yo preferiría jugar al centro del *green* con los hierros largos –dijo Jack–. A veces, la bola rueda hacia la bandera después de botar y hace parecer que he dado un gran golpe.

Cualquier buen jugador puede atacar las banderas desde 135 metros si los *greens* están blandos. Pero cuando el campo está seco, la mayoría de los golfistas intentan jugar demasiado largo desde el *tee* y terminan en algún sitio fuera de la calle, desde donde no pueden jugar al hoyo.

No existe ninguna razón por la que el golfista de nivel medio deba hacer más de tres golpes desde 135 metros. Si dedica la mayor parte de su entrenamiento en el campo de prácticas a sus hierros 7, 6 ó 5 –el que sea su palo para 135 metros–, desarrollará la confianza necesaria para coger con frecuencia el centro del *green*; y tal vez la bola ruede hacia el hoyo y haga parecer que ha dado usted un gran golpe.

El más elegante

Creo que los golfistas mejor vestidos que he visto en mi dilatada vida fueron Walter Hagen, Horton Smith y Ben Hogan. Tenían estilo y clase. Jimmy Demaret también se hizo célebre por un atuendo pintoresco, que le quedaba bien a él, pero no a la gente que le imitaba.

Hogan vestía tonos claros y oscuros, y siempre salía bien en las fotografías. Hagen y Smith llevaban corbata, camisa de vestir de manga larga y bombachos. Su ropa estaba siempre cuidadosamente planchada. La Gran Depresión económica en América hizo que los bombachos pasaran de moda, porque la gente no podía permitirse pagar 12 dólares por el par de medias de lana que había que llevar con ellos. Así pues, se imponía comprarse un par de pantalones largos.

Hogan solía dar charlas de márketing, y las empezaba siempre con la ropa arrugada. A mitad del discurso abandonaba el escenario y reaparecía con un atuendo elegante y conservador.

—¿A quién preferirían comprarle algo, a aquel primer tipo que estaba hablando antes o a mí? –preguntaba a la audiencia.

Los golfistas profesionales forman parte de un espectáculo para el público. Y creo que deben dar un ejemplo de buen gusto en el vestir, pero supongo que estoy desesperadamente pasado de moda.

De todas formas, pienso que la mujeres visten mejor que los hombres.

Mis mejores muchachos

Doy gracias a Dios por haber podido enseñar y entrenar en edad escolar a cuatro jugadores verdaderamente importantes.

No intentaré compararles para averiguar cuál de ellos ha sido mejor jugador; los cuatro son muy buenos, cada uno a su manera. Ellos son:

Ed White. Tuvo una notable carrera *amateur*. Ganó a Fred Haas, Jr., en la final de la NCAA en el Congressional Country Club, en Washington, D. C. Fred me dijo que Ed era el mejor jugador que había conocido. Nunca se hizo profesional, porque en aquella época no había suficiente dinero en el circuito para que le conviniera dedicarse al golf.

Morris Williams, Jr. Se mató en un accidente de aviación, cuando estaba a punto de empezar su carrera en el circuito profesional. Yo tuve que transmitir la trágica noticia a su madre y a su padre, que era el director de Deportes en el periódico de Austin. Él se desmayó en mis brazos.

Tom Kite. Es el jugador profesional que más dinero ha ganado en premios de golf en todos los tiempos.

Ben Crenshaw. El campeón del Masters en 1984.

Otro de mis chicos especiales fue el fallecido Davis Love, Jr. Vino a entrenarse conmigo a los diecisiete años y jugó durante cuatro temporadas en la Universidad de Texas. Era tan bueno que se clasificó para jugar el Masters cuando todavía no se había graduado. Pero Davis, un concienzudo estudioso del juego, nunca quiso jugar el circuito profesional. Prefería enseñar, y se convirtió en uno de los mejores maestros. A su hijo Davis Love III, uno de los mejores jugadores del circuito, le di unas cuantas clases cuando vino a verme, pero no pude mejorar la instrucción de su padre.

¿*Chip* o *approach*?

"Chipee" siempre si:

1. La posición de la bola es mala.
2. El *green* está duro.
3. Tiene un golpe cuesta abajo.
4. El viento va a influir en el golpe.
5. Se encuentra bajo presión.

Probablemente preferirá "aprochar" si:

1. La posición de la bola es buena.
2. Tiene un golpe cuesta arriba.
3. El *green* está muy blando.
4. Hay un obstáculo de por medio.

También hay que tener en cuenta la habilidad. El jugador experto podría jugar un *chip* delicado con un *blaster,* que sería muy arriesgado para un jugador de hándicap alto. Lo que les he dado arriba son sólo pautas generales.

Un error frecuente al "aprochar" es que el jugador yergue el cuerpo durante el golpe. Esto se debe a que la cabeza del palo se adelanta a las manos. Para solucionar este error, yo haría practicar al alumno el *approach* bajo, como si quisiera dar un golpe que pasara por debajo de una mesa de comedor. Esto obliga al jugador a mantener la postura durante el *swing* y a dejar que el ángulo de la cara del palo se encargue de completar el golpe.

Para jugar un golpe de *approach* con un *blaster,* desde cualquier distancia, utilice *todo* el palo. Coger la empuñadura corta nos llevará a dejar caer la cabeza y encoger el brazo izquierdo en el impacto; el resultado será que clavaremos el palo detrás de la bola o la "toparemos".

Nunca deje que la cabeza del palo adelante a las manos en un *approach* o un *chip* corto.

Hay un golpe de *wedge* que es importante aprender para cuando hay poca hierba o para el invierno, cuando la hierba de las calles está aletargada: juegue la bola frente al pie derecho; cierre la cara del palo hasta verla perpendicular a la línea de juego y la "pestaña" de la base del palo no toque el suelo; ajuste su colocación hacia adelante para compensar la dirección, cargando algo más de peso en el pie izquierdo; golpee la bola y el suelo al mismo tiempo en la bajada. Esto producirá un golpe bajo con mucho efecto, un golpe que puede ser muy útil.

Recuerdo que le enseñé este golpe a uno de mis alumnos favoritos, el antiguo campeón de Texas, Bill Penn. Unos días más tarde vino a mí protestando:

—Harvey, yo quiero un golpe que funcione el cien por cien de las veces –dijo–. Éste sólo me funciona tres de cada cuatro veces. En un hoyo no he podido hacer *approach* y "pat".

Fuera de vista

A medida que envejezco debo estar haciéndome mejor profesor, porque la mayoría de mis alumnos empiezan a pegarle a la bola tan lejos que no llego a verla.

¿O tal vez sea que estoy perdiendo la vista?

El final del *swing*

Una de las primeras cosas que hago para enseñar a un alumno la acción correcta del cuerpo tras golpear es colocarle en una buena posición final del *swing*. Esto es importante porque la postura final refleja lo que ha sucedido durante el *swing*.

Las fotos demuestran que la bola se separa de la cara del palo tan sólo una fracción de segundo después de golpearla; no se golpea a la bola con el final del *swing*, pero si hace usted un buen *swing* su postura final lo reflejará.

Siempre hago posar a mis alumnos durante unos segundos al final del *swing* en el campo de prácticas. Es un buen ejercicio con el que me aseguro de que la postura que estamos estudiando sea un verdadero resultado del *swing*. Una postura artificial no ayuda en nada al alumno.

Queremos una postura equilibrada, con todo el peso del cuerpo reposando sobre el pie izquierdo y los codos delante del cuerpo.

Disfrútelo. Perciba la sensación. Pero no lo haga en el campo de golf. Durante el juego no pasa nada si al dar un buen golpe se cae usted un poco o no consigue mantener el equilibrio. Nadie le va a dar puntos por el estilo. Su única misión es golpear la bola hacia el objetivo. Si da un buen golpe en el campo y lo termina con una preciosa postura final no se deleite; baje el palo y atienda al siguiente golpe.

Un poco es mucho

El *swing* de golf es un todo, pero está hecho de pequeñas cosas que funcionan juntas.

Dutch Harrison dijo: "Un poco es mucho."

Esto significa que si el palo golpea a la bola con la cara un poquito desviada el error va a crecer muchísimo en cuanto la bola empiece a volar. Si la cara del palo está desviada dos o tres grados en el impacto, la bola se habrá desviado 20 ó 30 metros cuando llegue a 200 metros de distancia.

Hablamos tanto sobre el *swing* que a veces nos olvidamos de que el ángulo de la cara del palo en el impacto es muy importante. Hay cuatro cosas que intervienen en un buen golpe: el ángulo de la cara del palo, su trayectoria, su velocidad en el momento del impacto, y golpear a la bola con el centro de la cara del palo.

Muchos golfistas miran a las llamadas "marcas de *slice*"[49] en la base del palo y en seguida deducen que están haciendo el *swing* de fuera hacia adentro, a través de la línea de tiro. Pero las marcas también podrían estar provocadas por golpear a la bola con la cara del palo abierta.

Si coloca la cara del palo perpendicular a la línea de tiro antes de iniciar el *swing*, se dará una mejor oportunidad de mantenerla perpendicular en el impacto. Algunos de mis alumnos insisten inconscientemente en abrir el palo al colocarse, y otros pocos se notan mejor con la cara del palo cerrada; todos ellos creen que tienen el palo puesto, y cuando yo les muestro cómo deben colocarlo en realidad casi no pueden creerlo.

No existe ninguna sensación parecida a la de golpear a la bola en lo que se denomina el *sweet spot,* con la cara del palo orientada al objetivo. El *sweet spot* es el punto de "no-efecto", desde el cual la bola sale absolutamente recta, sin girar a un lado ni al otro. Normalmente, este golpe sólo se consigue por accidente. Uno no intenta "cuadrar" la cara del palo al objetivo en el impacto. Ella sola se "cuadra" en un buen *swing*.

Un jugador de nivel medio puede dar, tal vez, tres golpes en el *sweet spot* en 18 hoyos. Ben Hogan decía que él no golpeaba en el *sweet spot* más de una vez por recorrido.

—Si golpeara en el *sweet spot* cuatro o cinco veces, haría menos de 60 golpes –me decía.

---

[49] Marcas y rasguños que quedan en la base del palo después del golpe. Su orientación puede indicar la dirección del *swing* y la posición de la cara del palo en el momento del impacto. *(N. del T.)*

La cuestión importante no es lo buenos que sean sus golpes buenos, sino lo malos que sean los malos. Incluso los principiantes dan golpes en el *sweet spot* de vez en cuando. La corriente de emoción y excitación que resulta de ello es lo que les inspira a mejorar, de manera que puedan experimentar ese maravilloso sentimiento otra vez.

Los jugadores lo admiten en seguida: "Soy un adicto al golf", dicen. Se adiccionan por el placer de dar buenos golpes. Cuando usted empiece a "cuadrar" la cara del palo satisfará su adicción mucho más a menudo.

Recuerde: un poco es mucho.

Poema de un golfista

¡Los tiempos no han cambiado! Dorothy Bible, cuyo marido, D. X., fue entrenador de fútbol americano y director deportivo de la Universidad de Texas, y uno de los pegadores de *driver* más "salvajes" que he visto nunca, me envió la siguiente joya literaria recortada del diario *Star*, de Lincoln, Nebraska, fechada el jueves 19 de junio de 1930:

DESCONSOLADO[50]

por Edgar A. Guest

Le encontré bajo un árbol
y pregunté: "¿Qué sucede,
que pareces tan solemne
bajo el cielo del verano?"

Los pájaros cantan, alegres, sobre ti,
florecen brillantes las flores silvestres.
¿Qué cosa terrible y horrible
parece sellar tu suerte?

A tu alrededor retozan y juegan los niños,
y sopla suave la brisa.
"Triste extraño, dime, te lo ruego,
¿cuál es la razón de tu desdicha?"

"No veo los rayos del sol bailar,
ni escucho a los pájaros", dijo.
"Tengo un problema en mi *stance*[51],
y ni en el *tee* la puedo dar."

---

[50] COMFORTLESS
by Edgar a. Guest
I found him underneath a tree / "And what is wrong", quoth I. / "That you so solemn seem to be / Under this summer sky?
"The birds above you gayly sing, / the wildflowers brightly bloom, / What is this awfull horrid thing / Which seems to seal your doom?
Round you the children romp and play, / The gentle breezes blow. / Sad stranger, tell to me I pray / The burden of your woe."
"I do not see the sunbeams dance, / Nor hear the birds", said he. / "There's something faulty with my stance, / I can't get off the tee.
[51] Colocación. *(N. del T.)*

175

"Todo el día he hecho *socket* con mi *mashie*[52].
Mis pats bordearon cada hoyo,
hago algo que no debo; tal vez sea
que levanto la cabeza."

"Pobre hombre", dije yo.
"Seguro que para ti no hay cura.
Durante treinta años intenté yo
sanar las penas con que tú cargas.

Y todavía hago *socket* con mi *mashie,*
y con la madera 1 hago *slice,*
y durante todo el tiempo que viva
espero encontrarme igual."

"El tiempo cura otros pesares,
los otros daños puede arreglar,
pero las miserias del golf perduran:
para ellas no hay final."

"All day I've shanked my mashie shot, / My putts rimmed every cup, /
I'm doing something I should not; / I think it's looking up."
"Poor man", I said, "'tis very sure / No help four you appears, / The woes
you bear I tried to cure / Myself for thirty years.
"And still my mashie shots I shank, / And still I slice the drive, / And with
the dubs expect to rank / As long as I'm alive."
"Through time all other griefs may cure, / All other hurts may mend,
/ The miseries of golf endure: / To them there is no end."
[52] Hierro 5. *(N. del T.)*

Prepararse para un partido importante

Sea usted mismo. Haga lo que haga normalmente. Si suele tomar un par de copas por la noche, hágalo. Si se ha estado yendo a la cama a las 11, no se arrastre entre las sábanas dos horas antes de lo normal. Coma la misma comida que come normalmente, y hágalo a las mismas horas.

Debe entender que lo más importante en cómo juegue ese partido va a ser su mente. Por eso debe evitar cosas nuevas o diferentes que le distraigan de su rutina normal. No piense en las consecuencias de ese gran partido. El resultado pertenece al futuro; usted debe estar en el presente.

En el campo, antes del partido, caliente como acostumbre a hacerlo. Si suele ponerse los zapatos, dar una docena de bolas e ir al *tee,* hágalo igual. Dar un cubo completo de bolas sólo le va a perjudicar, a menos que caliente siempre con un cubo entero.

Éste no es el momento para hacer cambios en su *swing* ni en su empuñadura. Debe *bailar con los mismos zapatos que le trajeron hasta aquí.*

Cuando vaya al *tee* del 1 no considere ni tan siquiera el resultado eventual del recorrido. Piense sólo en el golpe que tiene entre manos. Sandra Haynie, una jugadora de la Sala de la Fama del Circuito LPGA, que creció en Austin y en Fort Worth, ni tan siquiera miraba a sus rivales cuando daban el golpe. Yo no le recomiendo esto a todo el mundo, pero puede que a usted le ayude a concentrarse en su propio golpe.

Esfuércese en jugar cada golpe lo mejor posible, al máximo de su habilidad; golpe a golpe... y *take dead aim!*[53].

Cuesta arriba y cuesta abajo

En los golpes cuesta arriba, la bola suele salir con efecto de *pull*. Debe darse un margen para que suceda así: acorte la pierna de arriba y estire la de abajo, de manera que las caderas estén niveladas. La bola quedará retrasada en la colocación, pero no deje que el peso se desplace hacia atrás.

En un golpe cuesta abajo estire la pierna de abajo y flexione la de arriba, también para nivelar las caderas. Juegue la bola retrasada hacia su pie derecho; apoye el palo en el suelo y el fabricante le dirá cómo debe colocar las manos para mantener la cara del palo perpendicular al objetivo. En este caso es posible que la bola se desvíe un poco hacia la derecha, pero no deje margen para hacer *slice* cuesta abajo. Si lo hace, correrá el peligro de hacer un *"socket"*.

---

[53] Ver página 47 *(N. del T.)*

Jugar con viento

Mi viejo amigo Jimmie Connolly era un buen jugador pero solía tener problemas al jugar con viento. La noche anterior a un partido de 36 hoyos, en el que se jugaba el Campeonato Amateur de Texas, y estaba previsto que soplaría mucho viento, me pidió consejo. Le dije, más o menos, lo siguiente:

El viento tiende a hacer que el jugador se precipite. Yo creo que en marzo, por culpa del viento, se producen más accidentes en Texas que en ningún otro mes del año, dentro y fuera del campo de golf.

En todos los golpes con viento, incluido el "pat", preste una cuidadosa atención a su equilibrio. No se precipite al jugar ni precipite el *swing*. Actúe con normalidad. En los golpes de salida coloque la bola un poco más baja cuando el viento esté en contra, y más alta cuando esté a favor.

Los jugadores *scratch*[54] y los profesionales pueden intentar jugar el viejo "golpe de codorniz" de Demaret[55]; pero yo no le recomiendo este golpe al jugador *amateur*. Requiere un ritmo muy preciso y mucha práctica. En lugar de eso prefiero que, si su golpe exige un hierro 5 en un día normal, juegue un hierro 4, o incluso un hierro 3,

---

[54] Jugadores cuyo hándicap de juego es cero, o que juegan competiciones sin hándicap. *(N. del T.)*
[55] Ver página 143 *(N. del T.)*

contra el viento. El ángulo del palo se encargará de mantener la bola baja.

Si, en ese mismo golpe, el viento está a favor, escoja un hierro 6, un hierro 7 o incluso un hierro 8.

Recuerde que el viento sopla tan fuerte para su oponente como para usted. Tómese su tiempo. Mantenga el equilibrio. No deje que el viento le haga acelerarse o hacer el *swing* con más fuerza.

Jimmie Connolly ganó el Campeonato de Texas al día siguiente, por 5 y 4[56].

Titanic Thompson

Austin está a una cómoda distancia conduciendo desde Fort Worth, Dallas, San Antonio y Houston, así que, como es natural, nuestra ciudad se convirtió en el lugar donde los aficionados a jugarse el dinero solían hacer un alto en busca de acción.

Ben Hogan me habló sobre un hombre llamado Alvin C. Thomas, más tarde famoso como *Titanic Thompson,* que estaba "trabajando" en Fort Worth. "Seguro que pasará por Austin y querrá jugar –me dijo Ben–. Puede jugar a diestras y a zurdas, y no se le puede ganar."

Efectivamente, un domingo por la tarde, las cosas se habían parado un poco en el club y yo estaba sentado en

---

[56] Forma de llevar la puntuación a *Match-play*. Significa que Connolly había sacado una ventaja de cinco hoyos cuando sólo quedaban cuatro por jugar. *(N. del T.)*

la tienda cuando entró un extraño y se presentó: "Soy Herman Kaiser, de Ardmore, Oklahoma." Me mostró su tarjeta de la PGA y me preguntó si podía jugar nuestro campo.

Le dije que muy bien. Kaiser señaló a un tipo alto y de buen aspecto que venía con él y dijo: "Éste es mi amigo *amateur,* Mr. Thomas, un socio de mi club." Mientras Kaiser y su amigo salían por la puerta, Thomas me dijo, "¿Le gustaría jugar con nosotros?" Le dije que no, que creía que no era acertado hacerlo.

Salieron a jugar por los primeros nueve hoyos. Uno de nuestros socios a quien le gustaba jugar mucho dinero, entró. Le hablé entonces del tal Thomas, y me dijo: "Harvey, alcancémosles en la segunda mitad y juguemos con ellos. Les sacaremos unos cuantos cientos de dólares. Si perdemos, pago yo."

Cuando pasaron Thomas y su amigo, nosotros estábamos practicando. Thomas se sentó en un banco y yo les dije que había cambiado de parecer y que nos gustaría jugar con ellos. "Jugaremos contra vosotros un dólar por hoyo, o diez, o cien, o mil, lo que digáis", dijo Thomas. Les dije que jugaríamos los nueve segundos hoyos a cincuenta dólares el hoyo. Eso era mucho dinero para mí.

Empezamos a jugar y en el tercer hoyo se acercaron cinco o seis caballeros, en ropa de calle, que habían estado jugando al póker en el club y vinieron a ver nuestro partido de golf. *Titanic* me mostró un rollo de billetes de cien dólares y me preguntó si yo creía que a aquellos caballeros les gustaría sacarle su dinero.

Más tarde, alrededor del hoyo 6, Thomas comentó: "La verdad es que me gusta este lugar. Creo que me quedaré una temporada." Era la época anterior a las Navidades. Thomas sacó una pequeña bolsa marrón de caramelos, llena de diamantes, y me propuso: "¿Quiere regalar algo bonito a su mujer por Navidad? Déle unos cuantos de éstos." Le dije que no, y le di las gracias.

Al terminar, Thompson y su compañero habían metido un par de "pats" largos y nos ganaron por un hoyo arriba.

Más tarde Thomas gastó en la tienda cincuenta dólares para compensar lo que yo había perdido. "Hoy he tenido verdadera suerte –me dijo, con el estilo con que lo diría un jugador de dinero–. Casi nos tuvisteis cogidos."

Unos cuantos meses más tarde vi en el periódico una foto del compañero de Thomas. La foto de Herman Kaiser estaba en el periódico porque acababa de ganar el Masters.

Por nuestra ciudad solían pasar muchos jugadores de dinero.

Un tipo, que decía ser indio, quería una vez jugar contra mí. Yo jugaría con mis palos y él lo haría utilizando una honda. Me pareció bien y acepté. Él era muy bueno en las distancias cortas, pero desde el *tee* no podía lanzar la bola lo suficientemente lejos como para ganarme.

Tal vez los jugadores de dinero más estrafalarios que hayamos tenido por el club fueran el duque de Paducah y *Masked Marvel,* la Maravilla Enmascarada. El duque vendía entradas para un gran partido de *Masked Marvel* contra el mejor jugador de la ciudad, y decidieron que querían jugar contra mí con fines "caritativos".

En seguida comprendimos por qué *Marvel* llevaba una máscara. Él y el duque pretendían robar el dinero de las localidades y escaparse antes del partido. Les descubrimos, cancelamos el partido y les animamos a que se marcharan de Austin.

En otra ocasión había un jugador de dinero merodeando por el club, intentando encontrar un partido de golf cuando Wilmer Allison se acercó.

—¿Alguien quiere "patear" contra mí? –preguntó Wilmer. Los ojos del apostador se encendieron.

—Yo –dijo–. ¿Cuánto quiere jugarse?

—Lo normal, veinticinco centavos –contestó Wilmer.

El jugador de dinero cogió su bolsa de palos y se marchó, acompañado de nuestras carcajadas.

Golpes de truco

Dar golpes con truco es un arte en vías de extinción.

En los años veinte y treinta el golf estaba considerado como un juego para la gente adinerada, y el béisbol era el juego de la gente corriente. Esto era mucho antes de que llegara Arnold Palmer e hiciera del golf un juego para todo el mundo.

Pero, en aquellos días, el profesional de golf que necesitaba unos cuantos dólares extra aprendía golpes con truco y daba exhibiciones.

Yo di una exhibición un día entre los dos partidos de una sesión doble de béisbol en el viejo estadio de Austin. Cuando salí a la base del bateador el público me observó, vestido con mis pantalones bombachos y mis calcetines de cuadros, y empezaron a abuchearme. Se tranquilizaron un poco cuando empecé a dar golpes que se curvaban a la derecha y a la izquierda. Luego coloqué una bola encima de otra con un poco de masilla; con mi hierro 7 golpeaba la bola de abajo a 110 metros de distancia, y la bola de arriba saltaba en el aire de manera que yo la cogía en la mano. Casi cualquier buen jugador puede hacer este truco, pero la gente que estaba en las gradas no lo sabía.

Luego coloqué dos bolas una al lado de la otra y las golpeé a la vez con un gran *swing*; una hacía *hook* y la otra *slice*, y se cruzaban en el aire.

También tenía una manguera de goma, parecida a las que se usan para inflar las ruedas de los coches. La manguera tenía una empuñadura de un palo de golf en un extremo y la cabeza de una madera 3 en el otro. Di unos cuantos buenos golpes con esa madera 3 y la gente empezó a aplaudir. Luego cogí un palo de zurdo y di golpes con él a diestras; y saqué un palo de diestro, lo giré 90 grados a la izquierda, lo coloque detrás de la bola para darle con el filo de la punta y golpeé una bola. Este golpe parece imposible, pero yo giraba el palo en mi mano tan rápido que nadie se daba cuenta de que la cara estaba bien colocada cuando golpeaba a la bola.

Tenía un artefacto con una bola de acero enganchada a una cadena que estaba anclada a una empuñadura, y con eso conseguía dar algunos golpes de unos 90 metros.

Cuando empecé a jugar golpes de hierro 7 por encima de la verja del fondo del estadio, toda la multitud estaba ya aplaudiendo. No me importa admitir que los aplausos sonaban mucho mejor que el abucheo con el que me recibieron.

Joe Kirkwood era el mejor artista de golpes con truco que he conocido nunca. Su truco más sorprendente era uno que hacía sólo una vez en cada sesión: colocaba la bola en un *bunker* de hierba, cuesta arriba pero de espaldas al *green;* hacía un *swing* y la bola se elevaba por encima de su cabeza, volaba hacia atrás y caía a tres metros del hoyo.

Una compañía cinematográfica que quería filmar un hoyo-en-uno contrató a Joe para hacerlo. Querían que la bola botara pasada la bandera y retrocediese hasta el interior del hoyo. Trajeron muchos rollos de película, pensando que podrían tardar varios días. Joe consiguió el hoyo-en-uno desde 150 yardas en su octavo intento, tal y como ellos querían.

En el hoyo 7 de Brackenridge Park hay un monumento dedicado a Joe; marca el punto desde donde jugó un golpe curvando la bola por entre los árboles y hasta el *green,* gracias al cual ganó el Open de Texas.

La gente se preguntaba por qué un profesional capaz de pegar golpes como Joe no ganaba todos los torneos.

—Tal vez pudiera, si cada golpe fuera un golpe con truco –decía él.

Paul Hahn era otro gran artista de golpes con truco que representaba a una destilería de whisky y se hizo amigo mío. Él y yo jugamos un partido de exhibición en el Austin Country Club y, al terminar, Paul inició su espectáculo de golpes con truco. Apuntó a un poste de teléfonos a 115 metros y le dijo a una condesa francesa que había entre los espectadores –la señora Tips– que si fallaba el poste le daría una botella de whisky. Golpeó al poste en el mismo centro.

Luego Paul mandó al *caddie* a un *green,* a una distancia de unos cien metros, y le dijo: "Prepárate para sacar la bandera cuando juegue esta bola al interior de hoyo." Se giró a la condesa y le prometió: "Si no la meto, le doy el whisky." Su golpe aterrizó en el *green* y rodó hacia el hoyo, pero el *caddie* se puso tan nervioso que no sacó la bandera a tiempo; la bola golpeó al palo y no entró.

Los viejos artistas de golpes con truco han sido sustituidos hoy por los pegadores de golpes largos. En mi época, yo apenas podía sacar músculo en mis bíceps, pero estos largos pegadores son atletas grandes y fuertes que pueden golpear la bola a 320 metros o más. Tienen su propio circuito de torneos de exhibición.

Echo de menos las exhibiciones de golpes con truco. Jugar un *hook* o un *slice* amplios, una bola baja o alta, era fácil para los artistas de este tipo de golpes, porque lo hacían con el *swing*. Lo que nunca deseabas era que ningún espectador te pidiera: "Ahora juegue un golpe recto." Ése es el más difícil de conseguir. Ben Hogan siempre decía que si jugaba un golpe recto habría sido por accidente.

Caddies

Mi madre no me dejó hacer de *caddie* hasta que empecé el colegio en 1914. Mis hermanos Tom y Tinsley ya lo hacían antes, y Tom me llevó al club con él cuando al fin fui lo suficientemente mayor.

Por aquel entonces no te admitían fácilmente como *caddie*. Había un montón de chicos intentando poder llevar una bolsa y tenías que ganarte el puesto. Para mí suponía una ventaja que mi hermano fuera el *Caddie Master,* el número uno, el que daba las acreditaciones. Cualquiera que nos creara problemas a mí o a Tinsley –que era el número 11– tendría que vérselas con Tom. Y no podían con él.

Los jugadores aficionados no practicaban tanto en aquella época, cuando tenían que recoger sus propias bolas o contratar a un *caddie* por veinticinco centavos a la hora para que se colocara en medio del campo de prácticas y las recogiera en su bolsa. Era peligroso eso de tener a todos los golfistas dando bolas y a los niños recogiéndolas. Me debieron de dar unas veinte veces.

De *caddie*, aprendí a imitar los *swings* de cada jugador del club. Si me daban cinco o diez centavos yo improvisaba un espectáculo. Cuando más tarde me hice profesional notaba cómo los *caddies* imitaban mi *swing*. Era una gran forma de aprender a jugar al golf.

Hoy es raro que un club tenga *caddies*. Por un lado, el club tiene que pagarles el salario mínimo, incluso si no hacen más que sentarse. Por otro, el club gana mucho más dinero alquilando cochecitos.

Echo de menos a los *caddies* en el club. Eran personajes pintorescos y añadían mucho espíritu al juego.

Cuando yo era un chico, a los *caddies* no se nos consentía jugar en el campo, aunque pudiéramos permitirnos pagar los cincuenta centavos que costaba jugar. Pero un día mi amigo Charlie Clark y yo convencimos a la señora Reinli, la gerente del club, para que nos dejara pagar y jugar un sábado por la mañana. Y salimos a jugar.

En el hoyo 8, el viejo director escocés de la escuela de golf del club, Bill MacKenzie, se asomó por un *bunker*:

—¿Qué estáis haciendo aquí? –nos gritó con su acento más grosero.

Le dijimos que habíamos pagado.

—¡Id a que os devuelvan el dinero y que no os vuelva a encontrar aquí nunca más! –gritó.

Nos marchamos, contentos de que no nos hubiera expulsado del club.

Si no recuerdo mal, yo fui el primer director de la escuela de golf del club que dejó jugar a los *caddies* en el campo. Podían hacerlo el sábado por la mañana, aunque tenían que terminar antes del mediodía –la gente trabajaba cinco días y medio a la semana por aquel entonces–, pero al menos podían jugar.

Una vida entregada al golf

Una vez oí a una mujer comentar: "Me pregunto cómo se gana la vida Harvey. Todo lo que hace es estar en el Austin Country Club."

Yo cuidé el campo de golf durante cuarenta años como supervisor, además de como director de la escuela de golf. Solíamos luchar contra los gusanos que suben y bajan a través de los *greens,* aireándolos. La tierra que entra por el agujero que hace un gusano era el mejor fertilizante que podía haber, pero demasiados gusanos significaban demasiado fertilizante. Tener gusanos estaba bien, pero sólo hasta cierto punto, de manera que para acabar con ellos extendíamos un poco de centeno en los *greens*, abríamos los aspersores y los gusanos salían agitándose. Entonces los fustigábamos con una vara acabábamos con ellos y los recogíamos con un rastrillo. En aquellos tiempos no teníamos pesticidas.

En algunos lugares poníamos nidos próximos a los *greens* y animábamos a los pájaros a instalarse allí. Cuando veíamos un montón de pájaros en un *green,* sabíamos que ahí teníamos un problema de insectos.

Para airear los *greens* utilizábamos un rastrillo. Lo clavábamos en los *greens* hasta que oíamos reventar las bolsas de aire que se formaban por debajo de la hierba. Esto lo hacíamos a principios de la primavera: reuníamos los hombres y pasábamos cinco días trabajando, desde el *green* del 1 hasta el del 18.

Recuerdo que en los viejos tiempos, cuando empezaron a fertilizar las calles en el Dallas Country Club, su supervisor, Al Badger, fue a Fort Worth, recopiló todo el estiércol de vaca que había en los almacenes y lo extendió por las "calles" de los hoyos. Aquello sí que apestaba. El Dallas Country Club está en Highland Park, un vecindario muy "pera", y el pobre Al tuvo que aguantar muchos improperios por aquello. Si hubiera utilizado estiércol de conejo, no habría habido ningún olor, pero ¿cómo iba a haber cogido suficientes conejos, o entrado en suficientes conejeras, para cubrir todas las calles? Highland Park olió a estiércol de vaca durante meses.

Cuando derribaron el viejo juzgado en Austin encontraron un metro de altura de guano de murciélago en el ático. Yo cogí un camión y me traje ese precioso fertilizante al Austin Country Club. Cuando pasamos junto al colegio vimos a mi hija, Kathryn, que paseaba con unos amigos. Fingió no conocerme.

En 1923 acepté el trabajo de director de la escuela de golf del Austin Country Club –que fue construido en 1898 y era uno de los dos primeros clubes de Texas–, cuando todavía tenía los *greens* de arena apelmazada y mezclada con aceite, como la mayoría de los campos del Estado. Hasta el 2 de marzo de 1914 sólo habíamos tenido nueve hoyos.

En 1924 convencí al comité del club de que pusieran *greens* de hierba. El Campo Municipal de Austin –donde mi hermano Tom dirigió más tarde la escuela de golf– estaba poniendo *greens* de hierba *bermuda*[57], y yo convencí al comité de que nosotros también los necesitábamos.

Más tarde trasladamos el club a Riverside Drive y el arquitecto, Perry Maxwell, puso directamente *greens* de hierba *bent*. Creo que los buenos *greens* de hierba *bent*, como los nuestros, son superiores a los *greens* de hierba *bermuda*.

Varios años después nos trasladamos al campo actual, diseñado por Pete Dye, en las colinas a la orilla del lago. En total he "desgastado" tres campos. He visto crecer el Austin Country Club desde que era un campo de nueve hoyos con *greens* de arena, hasta convertirse en uno de los recorridos más bonitos y desafiantes del país. En el recorrido actual tenemos el río Colorado, lagos, cañones, riachuelos, árboles, flores silvestres, ciervos, conejos, ardillas y pájaros por todos lados.

Al principio pensé que nuestro recorrido de Pete Dye podía ser demasiado difícil para nuestros socios; pero a medida que el campo ha madurado, nuestros socios han aprendido a amarlo como yo, fuera cual fuera su habilidad para jugar al golf. Con los cuatro *tees* de salida que hay en cada hoyo, cualquier jugador puede disfrutar jugando aquí, siempre que sea realista a la hora de elegir desde qué *tees* jugar.

Una vez alguien me dijo: "Harvey, si hubieras trabajado en un banco cuando eras joven, ahora serías el presidente del banco, retirado y rico. ¿No habría sido eso mejor que ser un ex-*caddie* jubilado?"

Pero cuando yo era joven, uno no llegaba a ser presi-

---

[57] Tipo de hierba muy empleada en el golf, que se caracteriza por su resistencia a los climas calurosos. *(N. del T.)*

dente de un banco a menos que fuera miembro de la familia propietaria del banco. Mi hermano mayor, Fred, era cajero y el empleado más antiguo del American Bank. Ahora está jubilado y vive satisfecho y feliz en una casa de dos pisos en Onion Creek. Pero con mi habilidad y mi educación creo que no existía ninguna profesión más idónea para mí que el golf.

Yo he intentado enseñar al conjunto de mis alumnos que el golf y la vida son muy similares. En ninguno de los dos hay garantía alguna de obtener resultados justos, y no debemos esperar que la cosa cambie. Es preciso aceptar las desilusiones y los triunfos por igual. Para algunos tal vez no parezca justo que Ben Crenshaw pueda llegar a un campo de golf y, de la forma más sencilla, jugar sensacionalmente al golf a los doce años, mientras otros pueden pasarse toda la vida practicando sin llegar jamás a ser tan buenos.

Un profesional puede terminar segundo en un torneo y ganar mucho dinero, pero aun así se pasará la noche dando vueltas y agitándose en la cama, pensando que si hubiera metido cierto "pat" o dos, habría terminado el primero. Algunas personas pueden olvidar este tipo de ideas y seguir adelante, pero otras no, y continuarán revolviéndose y sufriendo mentalmente. Yo he jugado en muchos torneos, pero creo que lo hacía tanto por lo que podía aprender de mis compañeros profesionales como por la posibilidad de ganar. Sabía que quería enseñar, y ésa fue una parte importante de mi aprendizaje.

El golf dice mucho sobre el carácter. Juegue un recorrido con alguien y le conocerá más íntimamente de lo que podría hacerlo en años y años de cenas y de fiestas. Basta con ver la distancia a la que una persona pisa alrededor del hoyo al sacar de su interior la bola, para saber si es una persona atenta y considerada con los demás.

Lo mejor del golf es que si cumples las normas establecidas, siempre puedes encontrar alguien con quien jugar un partido. No importa lo bueno que seas; siempre habrá alguien que pueda ganarte. Y no importa lo malo que seas; siempre encontrarás a alguien a quien puedas ganar.

El consejo más importante que puedo dar a un joven que piense en dedicarse al golf es éste: cásate con una buena persona, como hice yo.

Gracias, Helen.